La colère de Boox

LES ÉDITIONS LA SEMAINE
2050, rue de Bleury, bureau 500
Montréal (Québec) H3A 2J5

Vice-Président éditions secteur livres : Claude Rhéaume
Directrice des éditions : Annie Tonneau
Directrice artistique : Lyne Préfontaine
Coordonnatrice aux éditions : Françoise Bouchard

Directeur des opérations : Réal Paiement
Superviseure de la production : Lisette Brodeur
Assistante-contremaître : Joanie Pellerin
Scanneristes : Patrick Forgues et Éric Lépine

Conceptrice graphique et logo : Marianne Tremblay
Illustration de la page couverture : Galin (Ivan Stoqnov)
Réviseures-correctrices : Rachel Fontaine et Luce Langlois

Gouvernement du Québec (Québec) – Programme de crédit d'impôt pour l'édition de livres – Gestion SODEC.

L'Éditeur bénéficie du soutien de la Société de développement des entreprises culturelles du Québec pour son programme d'édition.

© Charron Éditeur inc.
Dépôt légal : Quatrième trimestre 2009
Bibliothèque et Archives nationales du Québec
Bibliothèque et Archives Canada
ISBN : 978-2-923501-99-4

MAXIME ROUSSY

LA COLÈRE DE BOOX

ÉDITIONS
LASEMAINE

Notre distributeur :

Messagerie de presse Benjamin
101, rue Henri-Bessemer
Bois-des-Filion (Québec) J6Z 4S9
Tél. : 450 621-8167

Résumé des
péripéties précédentes

Pakkal, transformé en singe hurleur à cause de l'œuf à la coquille de jade, doit affronter Buluc Chabtan, lequel, en arrivant dans le Monde supérieur, a transformé les rayons du Soleil en armes mortelles. La bataille est ardue, mais Pakkal finit par triompher de son adversaire et le Soleil redevient ce qu'il était, un astre bienveillant. Après avoir fait la rencontre de ses ancêtres, Pakkal se voit confier la mission de porter secours à Laya. La princesse est en effet détenue par Boox, chef des Gouverneurs qui désire l'épouser afin qu'elle enfante des êtres mi-mayas, mi-*sak nik nahal*, en vue de peupler la Cinquième création.

Pendant ce temps, dans le Monde intermédiaire, Pak'Zil, l'ami scribe devenu géant, retient de ses deux bras le ciel qui menace de s'écrouler. L'Arbre cosmique qui lui servait de soutien s'est effondré et a assommé Zipacnà, dieu des Montagnes. La situation devient critique : des centaines de chauveyas apparaissent, ainsi que des emperators. Cama Zotz, chef des chauveyas et Cabracàn, dieu des Tremblements de terre, sont aussi de la partie. Au moment où Zipacnà se réveille, Zotz ordonne d'attaquer. Pour se protéger, Tuzumab crée une muraille géante que Cabracàn va aussitôt entreprendre de démolir de ses poings.

Pour aider Pakkal à s'acquitter de sa mission, Itzamnà lui a offert, dans un sac en peau de tapir, un cadeau destiné à Ah Puch. Toutefois, il a interdit au prince de regarder à l'intérieur du sac, son contenu pouvant s'avérer dommageable. Soudain, le sol se dérobe sous les pieds de Pakkal et il se retrouve en compagnie de Yaloum, la chasseuse de *sak nik nahal*, de Zipacnà, dieu des Montagnes, de Pak'Zil, le scribe devenu géant, et de Tuzumab, son père. Tous sont aux prises avec Cama Zotz et Cabracàn. Intervient alors Mulac, un des bacabs, ces grands êtres qui tiennent les quatre coins du ciel, qui rugit avec une telle force que les créatures du Monde inférieur sont immédiatement chassées. Mulac redresse ensuite le tronc de l'Arbre cosmique, mais cette mesure est temporaire. « L'Arbre ne tiendra pas debout bien longtemps », leur dit-il. Pour remédier à cette situation, il leur faudra partir à la recherche d'une graine capable de faire croître rapidement un autre arbre.

Tuzumab, qui a touché au sceptre de Ah Puch, possède désormais toutes les connaissances du monde. Il sait où trouver cette graine. Pour la faire pousser instantanément, il lui faut trouver du bulbutik, qui se trouve uniquement sur Chak Ek', la planète Vénus.

Les croyant hors de danger, Pakkal quitte ses amis pour se rendre à Tazumal sur sa mygale géante afin de sauver la princesse Laya. En route, il rencontre un singe qui l'entraîne au milieu d'une tribu où on le fait prisonnier. Le chef, s'empare du sac en peau de tapir et regarde à l'intérieur. Ce qu'il aperçoit est si effrayant qu'il en perd tous ses poils. Pakkal, jugé plus puissant que le singe nu est, à son corps défendant, élu chef des singes hurleurs.

Tuzumab, Yaloum et Zipacnà partent à la recherche de la graine. C'est une dame du nom d'Iwan qui l'a en sa possession, une *sak nik nahal* parvenue à réintégrer le Monde intermédiaire. Après une discussion avec Tuzumab, qui la convainc qu'elle pourrait sauver la Quatrième création, elle accepte de lui remettre la précieuse graine.

Pakkal, toujours dans la peau d'un singe hurleur, doit affronter le chef de la tribu, qui n'accepte pas d'avoir été répudié par les siens. Armé d'un bâton hérissé d'obsidiennes tranchantes, le singe blesse sérieusement Pakkal qui sombre bientôt dans un sommeil semblable à la mort. Mais le prince est réveillé par le dieu du Miel et des Abeilles, Ah Mucen Cab, qui soigne ses blessures à l'aide de son miel réparateur. Et c'est sur son dos que Pakkal entreprend de se rendre à Tazumal, la cité où se trouvent Laya et Boox. Cependant, il lui faut retrouver l'œuf à la coquille de jade qui lui permettra de réintégrer sa forme humaine. Aidé du dieu du Miel, Pakkal retrouve son apparence de jeune prince, mais, plutôt que d'obéir à sa demande et de se débarrasser de l'œuf, il va le dissimuler sous son pagne.

Tuzumab, Yaloum et Zipacnà sont sur le point de s'emparer du bulbutik, ce liquide qui fera grandir le nouvel Arbre cosmique à une vitesse vertigineuse. Dans la caverne où ils se trouvent, on leur offre un verre de ka-ka-wa, que Yaloum et Tuzumab acceptent. Le corps de Yaloum s'assèche alors instantanément, meurt et devient momie. C'est ainsi que Tuzumab, père de Pakkal, apprend qu'il est un Illuminé, un être qui possède la Connaissance, mais qui est considéré comme un informateur par Ah Puch. Attaqué par les sbires du Monde inférieur qui désirent récupérer la graine, Tuzumab saute dans un trou et se retrouve sur Chak Ek'.

Laya est sur le point d'épouser Boox. Pour la préparer au mariage, dame Zac-Kuk, mère de Pakkal, reine déchue de Palenque, pénètre dans la hutte où on maintient la princesse captive. Mais elle est immédiatement suivie de Ix Tab, déesse du Suicide, qui veut la supprimer. Ah Mucen Cab la délivre de son assaillante tandis que Pakkal affronte Boox, qui parvient à s'enfuir. Tous deux se retrouvent au pied du temple principal de Tazumal. Un chauveyas géant s'approche. Pakkal le reconnaît : il s'agit de son bon ami Pak'Zil qui a été transformé en chauve-souris géante. Boox lui ordonne d'attaquer le prince de Palenque.

Comment se comportera Pak'Zil avec Pakkal? Saura-t-il lui venir en aide pour contrer les sombres desseins de Boox et collaborer à la délivrance de la princesse Laya? Quant à Tuzumab, trouvera-t-il le liquide mystérieux qui pourrait sauver la Quatrième création?

•

Zenkà, guerrier de Kutilon, était sous le joug de Tuumax, dieu des Cauchemars. Il était incapable de détacher ses yeux des siens, comme si Tuumax y avait planté des lances qu'il tenait fermement.

Coincé dans le quatrième niveau de Xibalbà, son *sak nik nahal* réincarné dans son corps torturé, envoyé là par le *Ooken*, Zenkà n'aurait jamais cru que sa décision de retourner dans le Monde intermédiaire allait être aussi contrariante. Après tous les obstacles qu'il avait réussi à surmonter, il s'était dit que la chance allait être enfin de son côté. Mais il ignorait qu'à Xibalbà, la chance n'existait pas. Tout ce qui pouvait aller mal allait mal.

Zenkà se sentait littéralement possédé par Tuumax. Il entendait les exhortations de Yanto, le Maya deux fois centenaire qui l'accompagnait.

- Ne le regardez pas ! lui criait Yanto. Il va faire de vous sa marionnette !

Même si Zenkà comprenait parfaitement l'urgence de la situation, il se sentait impuissant. L'être à la maigreur terrifiante qui était devant lui le contrôlait déjà. Il ne pouvait plus bouger ses membres. Il se demandait même comment il pouvait encore se tenir debout.

- Un autre à ma collection, fit Tuumax.

Alors qu'il allait poser sa main sur le front de Zenkà, celui-ci ressentit une vive douleur au côté droit. Instinctivement, il tourna la tête. Il vit alors un bras qui reposait sur le sol. *Son* bras! Yanto lui tendit la main et le tira vers lui.

- Déguerpissons!

Trop sonné pour avancer, Zenkà ne bougea pas. Yanto le força à avancer.

Zenkà finit par mettre un pied devant l'autre et suivit Yanto dans un dédale de corridors, glissants et dégageant d'âcres odeurs. D'horribles petites bêtes, que Zenkà n'avaient jamais vues auparavant, prenaient la fuite ou se mettaient en mode défense à leur passage.

Alors qu'il se croyait à l'abri, Zenkà sentit des griffes lui déchirer la peau du dos. Un chauveyas avait atterri sur le guerrier de Kutilon. De sa main valide, il tenta de s'en défaire.

Son bras droit étant son dominant, il atteignait n'importe quelle cible lorsqu'il lançait un projectile. Tandis que le gauche était empoté, il le maniait avec autant d'efficacité que s'il avait été ivre.

Il lui fallut l'aide de Yanto pour se libérer du soldat du Monde inférieur. À l'aide d'un couteau d'obsidienne, Zenkà lui fit savoir que sa présence n'était pas bienvenue.

- Il m'a mordu, s'écria-t-il en touchant son cou.

Effectivement, la chauve-souris géante lui avait arraché un morceau de peau.

- Pas grave, fit Yanto. Vous êtes déjà mort. Continuons.

Zenkà observa autour de lui et au-dessus de sa tête.

- Il n'y a plus personne.

- Ici, vous allez apprendre assez rapidement à vous méfier des accalmies. Vous devez être aux aguets continuellement.

Ils coururent pendant un long moment, puis ralentirent la cadence. Ils croisèrent quelques chauveyas, qui ne les attaquèrent pas.

- Où habitez-vous ? demanda Zenkà.

- Nulle part, dit Yanto. Aucun endroit n'est assez sûr pour que je m'y arrête.

- Alors que faites-vous quand vous voulez vous reposer ?

- Je prends des risques. J'ai commencé à vagabonder ici bien avant la naissance de votre arrière-arrière-grand-père et je n'y ai jamais déniché un coin tranquille.

Zenkà se rappela qu'il avait perdu un bras. Il avait souffert au moment où le membre s'était détaché de son corps, mais ne ressentait plus rien.

- Que s'est-il passé ? demanda-t-il. Tuumax me l'a arraché ?

- Je pourrais vous mentir et vous répondre que c'est lui, mais j'ai atteint un âge où l'honnêteté est la seule option valable. Je suis le responsable.

Cette réponse stupéfia Zenkà.

- Pourquoi m'avez-vous fait cela ?

- En réalité, je n'avais pas l'intention de vous arracher le bras. J'ai planté mon couteau dans votre épaule et le bras est tombé. C'est un dommage collatéral.

- Vous appelez ça un dommage collatéral ? Je suis devenu un bon à rien par votre faute. Sans mon bras droit, je suis aussi inutile...

Zenkà s'interrompit. Il allait dire « je suis aussi inutile qu'un mort ». Mais c'est justement ce qu'il était.

- Sans mon bras droit, je ne peux rien faire.

- Désolé, fit Yanto. Ce n'était pas mon intention. Je voulais seulement vous sortir de votre torpeur. J'ai réussi, mais la prochaine fois, je me contenterai de vous tapoter l'épaule. Ne vous inquiétez pas, votre bras repoussera.

- Il repoussera ? Ho, là ! Ce ne sont pas mes cheveux que vous venez de couper.

- J'avais remarqué. C'est un des seuls avantages d'être ici. Ce que nous perdons repousse.

Zenkà songea à ses doigts, que Muan avait estropiés. Ils étaient réapparus. Il s'en était aperçu, mais n'avait pas poussé sa réflexion plus loin.

Il toucha sa plaie. Des insectes nécrophages s'étaient déjà mis au travail : blancs et luisants, ils se régalaient de sa peau déchirée. Avec le peu de précision que sa main gauche lui permettait, il les retira un à un. C'est alors qu'il constata, horrifié, que d'autres bestioles sortaient de son corps, comme des vers de terre émergent de la terre après la pluie.

- C'est inutile, dit Yanto. Vous n'avez pas besoin de les enlever.

- Et pourquoi donc ? Je ne veux pas qu'ils me bouffent complètement.

- Vous en avez des milliers en vous. Je vis ici depuis longtemps et ils n'ont pas réussi à me manger. Il faut apprendre à vivre avec.

Zenkà s'impatienta et frotta sa plaie.

- Eh bien, pas moi. Je vais sortir d'ici et rejoindre l'Armée des dons.

- Quelle que soit l'armée que vous désirez rejoindre, elle n'est pas intemporelle. Vous croyez que ses membres pensent encore à vous ? Vous êtes vaniteux. Avant que nous fassions connaissance, je croyais que j'avais passé à peine une année ou deux ici. Or, ça fait plus de cent cinquante ans. Qu'est-ce qui vous dit que vos camarades ne sont pas déjà tous morts et enterrés ? Le temps ici est impossible à évaluer. Votre voyage entre le premier et le quatrième niveau a peut-être pris des centaines d'années. Qu'est-ce que vous en savez ?

Zenkà continuait à retirer un à un les insectes mangeurs de peau.

- Vous semblez désabusé, Yanto. Pas moi. Je n'ai pas fait tout ce chemin pour abandonner. Je parviendrai à retourner dans le Monde intermédiaire.

- Vous êtes mort, Zenkà. Un jour ou l'autre, vous devrez l'accepter.

Le guerrier de Kutilon ne répliqua pas. Yanto ne voulait pas argumenter avec lui. Il avait pensé comme Zenkà lorsqu'il avait atterri dans ce lieu infect. Mais l'espoir avait fait place à la résignation, il croyait qu'il n'allait jamais pouvoir en sortir. Il en avait exploré tous les recoins, il n'y avait aucune issue. Zenkà allait devoir se rendre compte de ce fait lui-même.

- Venez avec moi, fit Yanto afin d'alléger l'atmosphère.

Il regrettait d'avoir été si dur avec Zenkà.

- Je vous invite à une petite visite des lieux, dit-il. Quelques attractions pourront sans doute vous divertir.

• •

Boox, le chef des Gouverneurs, venait de donner l'ordre de relâcher la chauve-souris géante que les chauveyas tenaient en laisse. Ceux-ci détendirent les cordages. Pak'Zil, dès qu'il le put, très à l'aise dans ce nouveau corps monstrueux, se débarrassa des chauveyas qui l'entouraient et s'avança en direction de Pakkal et de Laya.

La princesse, qui avait les yeux grands ouverts, s'approcha du prince de Palenque et se serra contre lui en disant :

- Tu crois que ce monstre pourrait me faire du mal ?

- Oh, certainement.

- Qu'est-ce que tu dis ? Ton rôle de sauveur est de me rassurer, pas de m'inquiéter !

Pakkal, le sac en peau de tapir à la main, recula lentement, entraînant Laya avec lui. Boox pointa du doigt le prince de Palenque.

- Tue-le ! ordonna-t-il à Pak'Zil.

- Parle-lui, fit Laya. Vous êtes des amis, non ? Si tu lui expliques, il va comprendre. Il est intelligent, c'est un scribe.

- Scribe ou pas, il n'a pas l'air d'être en état de discuter.

Pakkal analysa la situation. La fuite était impossible, puisqu'ils étaient entourés d'emperators qui n'attendaient qu'une occasion pour les dévorer. Heureusement, le contenu du sac les tenait à bonne distance. De toute façon, s'ils tentaient de s'esquiver, Boox allait se charger de les en empêcher. Paradoxalement, Pakkal craignait plus le chef des Gouverneurs que Pak'Zil, pourtant très menaçant. Il avait encore en tête la lutte qu'il avait dû livrer contre Boox. Il ne faisait pas le poids, même transformé en Chini'k Nabaaj, son Hunab Ku. Il eut une pensée furtive pour sa mère. Il espérait qu'elle soit saine et sauve.

Pak'Zil ouvrit la gueule, mais n'émit aucun son. Pourtant, un bruit aigu perça l'ouïe de Pakkal. Il porta aussitôt les mains à ses oreilles et vit son sac tomber à ses pieds. Laya, en entendant le cri, fit de même. Les chauveyas plongèrent vers le sol et alors qu'on croyait qu'ils allaient s'écraser, ils prirent de l'altitude au dernier instant et s'élevèrent dans le ciel.

- On voit qu'il n'est pas d'humeur à discuter, fit Pakkal en retirant les mains de ses oreilles.

Laya secoua la tête, comme si de l'eau lui bouchait les oreilles.

- Ton sens de l'observation m'étonnera toujours.

Pakkal sentit que sa transformation en Chini'k Nabaaj allait être inévitable. Laya, pour la première fois, allait assister à l'apparition de son Hunab Ku. Pakkal aurait préféré éviter ce procédé dont il avait honte, aussi préféra-t-il l'avertir, histoire d'amoindrir le choc. Il se tourna vers la princesse :

- Il se peut que j'agisse bizarrement.

- Qu'est-ce que tu veux dire ?

- Eh bien, je pourrais avoir un comportement, euh, singulier.

- Tu ne vas pas te mettre à pleurer ?

- Pleurer ? Non ! Qu'est-ce que tu imagines ?

Leur conversation fut interrompue par
Pak'Zil qui avait heurté du pied une stèle de
stuc et de pierres, provoquant une pluie de
débris. Laya et Pakkal se précipitèrent sous
un portique couvert de glyphes pour se protéger. Le prince garda un œil sur son sac à
présent recouvert de roches. Il devait absolument le récupérer. Dès que l'averse allait
se terminer, il allait foncer et en reprendre
possession.

Alors qu'il allait bondir, Boox apparut
devant lui.

- Ce sac est à moi, dit-il.

Boox repoussa Pakkal avec tant de force
que celui-ci fut projeté des mètres plus loin.
En atterrissant, il se sentit défaillir.

Boox empoigna l'avant-bras de Laya et tira la princesse vers lui.

- Prête pour la plus horrible journée de ta vie ?

Laya tenta de se défaire de son étreinte, mais la prise qu'il avait sur elle était puissante.

- Pakkal ! cria-t-elle.

Le prince était plié en deux, tentant de faire entrer de l'air dans ses poumons. S'il n'arrivait pas à respirer immédiatement, il allait mourir asphyxié. Pour une rare fois, il aurait souhaité que Chini'k Nabaaj s'empare de lui, mais le sentiment qui l'habitait était plus fort que son désir, il tremblait de peur. Ce dont il aurait eu besoin pour réveiller son Hunab Ku, c'était de la colère, pas de la peur.

Boox s'adressa à Pak'Zil, qui ne semblait attendre qu'un signal de sa part :

- Élimine-le.

Boox poussa Laya vers le temple des Étoiles et lui fit grimper les marches une à une. Tout en haut, sur une pierre, reposait un crâne momifié, celui de Boox lorsqu'il avait été un Maya. Le crâne contenait tous les *sak nik nahal* du Monde intermédiaire. Une fois devant lui, Boox ordonna à Laya :

- Embrasse-le sur la bouche !

- Quoi ? Tu rêves ! Je n'ai qu'à imaginer la mauvaise haleine d'un cadavre pour être prise de nausée.

Il tordit le bras de la princesse, qui poussa un cri de douleur.

- Je t'ai ordonné de l'embrasser immédiatement.

Malgré la souffrance, Laya refusa. Elle avait l'impression que les os de son bras allaient être broyés, mais elle résista. Voyant que sa méthode ne fonctionnait pas, Boox empoigna les cheveux de Laya et approcha de force son visage du crâne.

Le crâne du mort était là depuis très longtemps. Il ne restait que quelques poils à son cuir chevelu et, ici et là, des lanières de peau y demeuraient attachées. Les quelques dents qui lui restaient étaient croches et noircies. Boox trépignait d'impatience. Dès que Laya allait poser ses lèvres sur ce qui lui restait de bouche, le transfert des *sak nik nahal* allait débuter. Elle allait ensuite accoucher d'individus qui allaient vivre dans la Cinquième création, celle dont Boox allait devenir le maître absolu. Le pouvoir de cet être cruel à tête de hibou allait être infini. Après tout ce temps à errer dans un univers où le seul pathétique plaisir qu'il pouvait s'offrir était d'effrayer les vivants une fois de temps en temps ou de les rendre fous, il allait faire de la Maya aux cheveux d'or la mère de sa progéniture.

Le temps d'une nouvelle existence était venu.

Laya résistait tant bien que mal, mais pour combien de temps? Boox y mettait une telle force... Des larmes roulèrent sur ses joues.

- Arrêtez... Vous me faites mal!

- Ah oui? Si tu dis cela, c'est que tu ne connais pas encore la véritable définition de la douleur. Lorsque tu accoucheras de mes enfants, ta souffrance sera permanente. Et si intense que tu te trouveras ridicule de t'être plainte aujourd'hui.

Boox serra la tête de Laya avec encore plus de vigueur.

- Embrasse ce crâne et je te relâcherai.

Laya fut incapable de résister plus long-temps.

• • •

Pakkal avait tant de mal à respirer qu'il crut que l'instant de sa mort était venu. Il voyait les emperators s'approcher tranquillement de lui sans qu'il puisse faire un geste pour s'enfuir. Il se disait que s'il ne mourait pas de manque d'oxygène, il allait finir ses jours entre les pinces d'un de ces scorpions géants.

Graduellement, il réussit à retrouver son souffle. Il n'avait plus son couteau d'obsidienne qu'il n'avait pas réussi à retirer de l'épaule de Boox. Tout ce qu'il lui restait était son don, mais il n'allait pas avoir le temps de réunir suffisamment d'insectes pour former un bouclier autour de lui.

Les emperators n'étaient plus très loin à présent. Ils prenaient cependant soin de contourner le sac contenant le cadeau destiné à Ah Puch. Comme si ce n'était pas suffisant, un chauveyas fondit sur Pakkal et lui effleura le front.

La seule option qu'il lui restait était de tenter de reprendre le sac en peau de tapir. C'était la seule manière d'obtenir un répit. Or, pour cela, il lui faudrait traverser une barrière d'emperators.

Lentement, il se releva. Dès qu'il fut debout, une douleur vive lui coupa le souffle. Boox l'avait poussé avec tant de force qu'il lui avait sûrement broyé une côte. Chaque mouvement, aussi léger et indispensable que celui de respirer, le faisait souffrir le martyre.

Les emperators formaient maintenant un cercle serré autour de lui. Ils approchaient lentement, craignant une menace qui n'existait pas : Pakkal était inoffensif. Si l'un des scorpions géants l'attaquait, ce qui n'était qu'une question de secondes, il ne serait même pas en mesure de se défendre. Dès qu'un emperator allait réaliser qu'il n'était pas rabroué en posant une pince sur le prince, ses congénères allaient tous se précipiter sur lui pour le dévorer.

Parce qu'il n'avait aucune trace de colère en lui, Chini'k Nabaaj ne pouvait pas s'emparer de son corps et le transformer. Pakkal entendait bien les cris de Laya, aux prises avec Boox. Il ignorait ce qu'il lui faisait subir, mais il ne fallait pas une grande analyse de la situation pour conclure que c'était horrible. Son impuissance, au lieu de soulever sa colère, le remplissait de peur. Boox avait annihilé chez lui toute forme de courage.

Un chauveyas, qui volait à basse altitude depuis un moment, fonça vers lui. Avant qu'il ne l'atteigne, un emperator saisit la créature au vol à l'aide d'une de ses pinces et la sectionna en deux, dégustant ce qui était resté dans la pince. Les restes, les jambes et une partie des hanches, furent disputés par des dizaines d'emperators qui se battirent entre eux pour obtenir un morceau. Ils reportèrent rapidement leur attention sur le prince.

Proie blessée, sentant le moment final arriver, le prince se protégea la tête de ses bras. Il ne lui restait plus qu'à espérer que l'agonie ne dure pas longtemps. Alors qu'il s'attendait à être coincé entre les pinces tranchantes d'un emperator, il sentit ses pieds se détacher du sol. Ses côtes brisées lui firent pousser un cri de douleur. Lorsqu'il ouvrit les yeux, il constata qu'il était dans la main de Pak'Zil. Son ancien camarade d'infortune, devenu chauveyas géant, se débarrassait des gigantesques scorpions, lesquels étaient furieux de n'avoir pu mettre la patte sur lui.

Pendant un court instant, Pakkal crut que Pak'Zil, malgré son nouvel état terrifiant, était resté son ami et que c'était à dessein qu'il l'avait tiré des griffes des emperators. Des chauveyas tentèrent de l'agresser, mais Pak'Zil les repoussa comme s'il s'était agi de vulgaires moustiques.

Cette impression qu'il était hors de danger ne dura qu'un instant. Lorsque Pak'Zil ouvrit la gueule et exhiba des dizaines de dents pointues tout en approchant sa main de sa gueule, Pakkal comprit. Il regarda le sol : sauter allait lui être fatal. Et s'il survivait à l'impact, il n'allait pas pouvoir jouir de cette chance longtemps, il servirait immanquablement de repas à quelques emperators affamés.

Avec une rapidité effrayante, le corps de Pakkal s'approchait de la gueule de Pak'Zil. Dévoré par son meilleur ami... Quelle mort absurde ! L'Histoire retiendrait-elle uniquement ce fait ? Si la Quatrième création survivait, un scribe allait graver sur une stèle que le grand Pakkal, né le même jour que la Première Mère, fils de sa réincarnation en dame Zac-Kuk, avait péri en servant de repas à un chauveyas géant, jadis son meilleur ami.

Avant de disparaître dans la gueule de Pak'Zil, Pakkal regarda autour de lui. Il aperçut Boox qui malmenait Laya et la forçait à se pencher. C'est à ce moment que le déclic se produisit.

Il ne pouvait pas laisser le chef des Gouverneurs réaliser son horrible dessein. Il ne pouvait pas abandonner la princesse Laya. La voyant ainsi malmenée, il ressentit un pincement au milieu du ventre et retrouva enfin ce dont il avait besoin pour réveiller Chini'k Nabaaj : une étincelle de colère. Boox n'avait pas le droit de traiter Laya de la sorte. Chini'k Nabaaj allait lui faire comprendre que son comportement était inadmissible : on ne pouvait pas malmener une jeune femme de pareille façon. Pas à Palenque. Pas dans le Monde intermédiaire.

Et surtout pas Laya. La belle Laya.

Pak'Zil porta sa main à sa bouche géante afin d'y enfoncer Pakkal. Avec sa langue, il tenta de le ramener sous ses dents pour le mastiquer et le déguster. Mais il n'y arrivait pas, comme si « l'aliment » s'était coincé entre ses dents.

Pakkal était devenu Chini'k Nabaaj. La situation avait changé du tout au tout. Non seulement il n'avait plus de douleur aiguë aux côtes, mais toute la peur que Boox lui avait inspirée quelques instants auparavant s'était évanouie. Il ne craignait plus rien. Pas même les dents de Pak'Zil, pourtant sur le point de le broyer. Pas même les chauveyas et les emperators qui l'attendaient à l'extérieur. Il n'avait plus qu'un seul objectif : venir en aide à la princesse Laya.

L'énorme langue de Pak'Zil, rugueuse, pointue et gluante, tentait de s'emparer de Chini'k Nabaaj. Il devait trouver un moyen efficace de la repousser. Sans arme, il lui était impossible de la déchirer en deux à mains nues comme il l'aurait voulu. Son couteau d'obsidienne n'était plus sous sa ceinture. Il lui fallait absolument trouver un outil pour se défendre.

Se retenant à une des dents de Pak'Zil, Pakkal s'empara d'une autre dent et, de toutes ses forces, tenta de l'ébranler. Il constata avec soulagement qu'elle bougeait.

Il s'affaira alors à détacher la dent de la gencive.

Toutefois, Pak'Zil trouvait l'expérience fort désagréable. Il fourra ses doigts dans sa bouche et tenta d'en retirer Chini'k Nabaaj. Lorsqu'il parvint à le coincer entre deux doigts et qu'il le souleva, la dent suivit et fut arrachée de sa bouche. Le géant poussa un cri de douleur et en maugréant, il lança Chini'k Nabaaj au loin avant de poser la main sur sa gencive endolorie.

Chini'k Nabaaj atterrit dans un arbre, s'accrocha aux branches et mit le pied sur la terre ferme. Ce qu'il cherchait se trouvait là, à quelques mètres de lui.

La dent de Pak'Zil : sa nouvelle arme.

À peine eut-il le temps de s'en emparer qu'il fut entouré par une horde d'emperators.

••••

Zenkà continuait à retirer patiemment les insectes qui émergeaient de sa plaie et à les écraser, cela malgré ce que lui avait dit Yanto.

- Je doute qu'il y ait une attraction qui vaille la peine d'être vue, dit-il. Ici, tout n'est que pourriture. Et je m'inclus dans le lot.

Yanto, qui désirait avoir de bonnes relations avec le nouveau venu, s'empara de la perche qui lui était tendue.

- Vous seriez surpris, répliqua-t-il. Quand on passe beaucoup de temps ici, on n'a pas le choix, il faut se divertir.

Zenkà jeta un des vers nécrophages sur le sol et l'écrasa sous son gros orteil. Lorsqu'il retira son pied, l'insecte bougeait toujours. Zenkà tenta d'en venir à bout.

- Je ne resterai pas ici assez longtemps pour ressentir ce besoin. À la première occasion, je vais quitter ce lieu infect, faites-moi confiance.

Même si Zenkà y mettait de la vigueur, le ver continuait de bouger.

- Vous perdez votre temps, fit Yanto. Ils sont indestructibles.

Zenkà poussa un grognement.

- C'est ce qu'on va voir.

Il se pencha, pinça le ver entre deux de ses doigts et le mit dans sa bouche. Puis il entreprit de le mastiquer. L'insecte était caoutchouteux : impossible de percer sa peau.

Zenkà ouvrit grands les yeux. Il semblait ahuri.

- Que se passe-t-il ? demanda Yanto.

- Il s'est faufilé jusque dans mon ventre.

Yanto fit une pause, observa la réaction de Zenkà qui n'avait toujours pas cligné des yeux. Puis il éclata de rire. Il tenta de se contrôler, mais en vain. Zenkà, loin d'en être insulté, éclata de rire à son tour.

Il y a longtemps que Yanto avait ri de la sorte ! Dans le Monde intermédiaire, un des aspects qui le fascinait le plus au cours de ses voyages était l'humour qui variait selon les diverses cités qu'il visitait. Après avoir fait des affaires, le soir venu, il se promenait et partait à la recherche du blagueur des lieux. Il en trouvait toujours un. Il cognait à sa porte et lui demandait de le faire rire. C'était là un excellent moyen d'oublier ses tracas. Quelquefois, on lui claquait la porte au visage. Alors il frappait de nouveau à la porte et offrait de l'argent pour être diverti.

Cet accès d'hilarité se prolongea de longs instants pendant lesquels Yanto ne pensa pas à la situation désespérée qui était la leur.

Dépressif, Yanto avait déjà songé à mettre fin à ses jours. Il avait englouti des roches, bu de cet infect liquide noir et puant qu'on trouvait partout, s'était brûlé avec du feu bleu et avait même fait entrer une lame d'obsidienne dans son ventre. Résultat : il avait souffert, mais la Mort n'était jamais venue. En constatant les dommages qu'il avait causés à son corps, Yanto en était venu à la conclusion logique qu'il ne pouvait pas mourir, puisqu'il était déjà mort. Il était donc condamné à errer dans ces lieux jusqu'à la fin des temps.

- Je suis heureux que vous soyez avec moi, fit Yanto. La solitude me pesait.

Zenkà lui fit un clin d'œil.

- Pas moi. Je vous aime bien, mais ce que je voudrais, c'est quitter cet endroit !

- Je vous comprends.

Yanto décida de ne plus rien dire qui eut pu décourager Zenkà. Son compagnon d'infortune allait devoir réaliser lui-même à quel point la prison dans laquelle il se trouvait ne comportait aucune issue. Cela arriverait tôt ou tard. Il allait plutôt l'encourager et l'aider à mettre en œuvre tous les plans qu'il allait échafauder. Il était devenu vieux ; la compagnie d'un plus jeune serait une excellente occasion de retrouver un peu de vigueur et de naïveté que seule la jeunesse possède. Cela aurait au moins le mérite d'être divertissant.

- Vous êtes vraiment ici depuis à peu près cent cinquante ans ? demanda Zenkà.

- Si les dates que vous m'avez données sont exactes, oui, effectivement.

- Et il se peut que nous soyons déjà très loin dans le futur ? Que mon voyage ait duré vingt ou cinquante ans ?

La réponse était positive, mais Yanto la garda pour elle.

- Je ne sais pas. Je ne veux pas vous décourager.

- Oh, il m'en faudrait plus que cela !

Zenkà avait répliqué avec trop de détachement, il n'y croyait pas vraiment. Yanto sentait qu'au plus profond de lui-même, il était abattu et qu'il était sur le point de sombrer dans le désarroi le plus complet. C'était d'autant plus vrai qu'il lui avait arraché un bras, ce qui l'avait affecté profondément. Yanto s'en voulait.

- Désolé pour votre bras. Je suis sincère. Je ne croyais pas qu'il allait tomber.

- Faudra que je développe le gauche. C'est long, mais ça se fait. C'est arrivé à un de mes cousins.

Yanto regarda autour de lui.

- Je crois avoir tout exploré, fit Yanto. Mais un nouveau regard pourra nous ouvrir de nouveaux horizons.

- Les niveaux de l'Inframonde ne sont pas étanches. Je pense à la nourriture. Elle provient du premier niveau, n'est-ce pas ? Comment fait-elle pour se rendre jusqu'ici ? Il doit bien y avoir un canal quelconque.

- Je me suis posé la question, mais je n'ai jamais trouvé la réponse.

- C'est donc une piste à suivre.

- Vous avez raison. Laissez-moi vous faire visiter les lieux.

Avant de partir, Yanto lui recommanda de vérifier souvent ses arrières. Les dangers étaient permanents.

- Les chauveyas ? demanda Zenkà.

- Oui, bien qu'ils soient assez idiots et faciles à semer, lorsqu'ils sont une horde, c'est plus difficile.

Yanto se tourna et exhiba son dos.

- Ils m'ont déjà arraché une partie de mes organes.

Un trou profond apparaissait sur le haut de ses fesses, mais les chairs semblaient avoir séché depuis longtemps.

- Je ferai attention, fit Zenkà.

- Essayez de protéger votre autre bras. À moins que vous n'ayez appris à projeter des armes avec vos pieds.

Zenkà lui fit un clin d'œil.

Ils marchèrent longtemps avec toujours devant eux le même décor sordide : des corridors, des bêtes immondes, des effluves nauséabonds et des planchers couverts de substances gluantes. Comment Yanto était-il parvenu à vivre dans ces lieux pendant un si grand nombre d'années, se demandait Zenkà. L'endroit était mortel (c'était le cas de le dire).

Yanto s'arrêta subitement et posa la main sur la poitrine de Zenkà.

- Que se passe-t-il? demanda le guerrier de Kutilon.

- Regardez là-bas. Vous voyez?

Zenkà se tourna dans la direction que Yanto pointait de son doigt décharné.

Ce qu'il vit le remplit d'étonnement.

———

Chini'k Nabaaj n'avait qu'une idée en tête : arracher la princesse Laya à l'emprise de Boox. Même si la tâche semblait impossible, il ne doutait pas d'y parvenir. Il en voulait tant au chef des Gouverneurs qu'il avait l'impression que le sang qui coulait dans ses veines s'était transformé en fureur liquide. L'idée que Laya pourrait donner naissance aux enfants de Boox le mettait dans une telle colère qu'une écume fielleuse sortit de sa bouche.

Il n'attendit pas que les emperators passent à l'attaque. Armé de la dent pointue de Pak'Zil, il fonça sur eux. Il y en avait tant qu'il ne savait où donner de la dent. Ils formaient autour de lui une barrière étanche. S'il voulait la franchir, il allait devoir la percer.

Il se rappelait s'être amusé parfois avec un scorpion (pas mal plus petit et inoffensif que ceux qu'il affrontait). Son père, Tuzumab, lui avait montré comment le manipuler sans être piqué ou pincé : il devait le saisir dans l'articulation, entre le dard et le bout de la queue, ce qui permettait de le soulever. Le scorpion avait beau se tortiller dans tous les sens, il devenait aussi inoffensif qu'un animal couché sur le dos. Son père lui avait donné alors une leçon qu'il n'allait jamais oublier : « Aussi dangereux que te semble ton ennemi, tu as toujours la possibilité de le rendre inoffensif ; il suffit de trouver comment. »

Évidemment, avec ces bêtes deux fois plus grandes que lui, impossible de les saisir par le bout de la queue et de leur couper la tête en un coup de pince. Ce qu'il savait, toutefois, c'est qu'il pourrait atteindre la partie de leur corps la plus vulnérable. Car si la surface était dure et formait une solide carapace, le dessous, lui, était mou.

Le premier coup frappé avec sa nouvelle arme porta fruit : il atteignit un des emperators en plein thorax et le scorpion géant fut pratiquement scié en deux. Il continua à frapper ainsi et réussit à en éliminer une dizaine, plus quelques chauveyas qui avaient eu l'outrecuidance de s'en prendre à lui. Toutefois, le nombre d'ennemis ne semblant nullement diminuer, il allait devoir trouver une autre solution.

Il eut le temps d'en mettre cinq hors d'état de nuire avant qu'une autre idée jaillisse. Pendant un bref instant de trêve, il prit son élan, bondit dans les airs et mit le pied sur la tête d'un emperator, puis sur un autre et un autre encore. Il sentait que le temps pressait et qu'il lui fallait se rendre jusqu'au temple et faire subir ses foudres à Boox. Lorsqu'il constata le nombre d'emperators qui l'entouraient, son désir fut ébranlé. Il y avait une mer de scorpions géants devant lui et le claquement de leurs pinces donnait un rythme macabre à leur offensive. Un sentiment de découragement le saisit : jamais Chini'k Nabaaj n'allait parvenir à ses fins. D'ailleurs, il n'arrivait même pas à se situer. Où était Laya ? En plus du tapis d'emperators vibrant sous ses pieds, une horde de chauveyas lui tournait autour en lui bloquant la vue.

Seul avantage à leur présence, chaque fois que l'un d'eux fondait sur lui, un emperator l'attrapait au vol et s'en régalait. Cette pensée faillit lui être fatale : un scorpion géant parvint à atteindre sa sandale. Chini'k Nabaaj en fut déséquilibré, mais il retrouva sa stabilité en s'appuyant sur la dent de Pak'Zil.

Un cri perçant de Laya immobilisa alors tous ses ennemis, lui indiquant la direction qu'il lui faudrait prendre pour rejoindre la princesse. Il fonça.

Mais les emperators avaient compris son manège. Lorsque Chini'k Nabaaj mit le pied sur la tête d'un scorpion géant, celui-ci se pencha vers l'avant, ce qui l'empêcha d'avancer. Pour ne pas tomber, il agrippa la cheville de l'un des chauveyas qui le survolait et s'envola avec lui.

Le sentiment de sécurité qu'il éprouva fut de courte durée. D'autres chauves-souris géantes surgirent, il ne savait d'où, et se mirent à l'attaquer. À l'aide de la dent, il réussit à en assommer quelques-unes et à en éloigner d'autres, tandis que sur le sol, les emperators le suivaient.

De là où il se trouvait, Chini'k Nabaaj pouvait voir Laya, qui tentait de résister à Boox en s'écartant du crâne momifié. La princesse avait besoin d'aide, il fallait qu'il aille la délivrer *maintenant*.

Les chauveyas n'étaient apparemment pas tous stupides, l'un d'eux avait compris que le meilleur moyen de vaincre Chini'k Nabaaj était de le priver de son moyen de transport. Il agrippa le dos de son congénère et lui mordit le cou, puis recracha le morceau de peau qu'il était parvenu à lui arracher. Chini'k Nabaaj réagit aussitôt en empoignant sa tête entre ses deux mains et lui fit faire un tour presque complet. Le chauveyas ainsi malmené cessa immédiatement de battre des ailes et s'écroula sur le sol.

Avant que Chini'k Nabaaj ne se fasse engloutir par la marée d'emperators, il fut rattrapé par un autre chauveyas, qui planta ses griffes dans ses épaules. Ayant mal évalué le poids du prince, la bête perdit de l'altitude et frôla les emperators. L'un d'eux ne rata pas l'occasion : d'un coup de pince, il décapita le chauveyas. Chini'k Nabaaj roula sur le sol et fit plusieurs tonneaux avant de s'immobiliser devant un emperator. Il dut prestement se relever pour éviter son dard meurtrier et lui asséna un coup de dent sur la queue. L'emperator fut incapable de bouger, l'extrémité de sa queue s'étant enfoncée dans le sol.

Chini'k Nabaaj se retrouvait cependant au même point. Il était toujours entouré d'emperators et de chauveyas. Il n'avait pas le temps de les affronter. Laya avait besoin de lui.

Alors qu'il poursuivait ce combat inégal contre ses adversaires tenaces, il vit soudain un pied géant s'abattre sur eux et en écraser quelques-uns. Puis une main énorme envoya valser les autres. Pak'Zil, car c'était lui, venait d'apparaître, mettant en fuite tous ses ennemis.

Enfin, la voie était libre, il n'y avait plus d'obstacle, il pourrait remplir sa mission et aller délivrer Laya. Il ne devait pas laisser passer cette chance, il devait fuir. Il se mit à courir dans sa direction, il pouvait voir le chef des Gouverneurs en train de forcer la princesse à embrasser cette tête grotesque.

« Encore quelques pas et je te ferai connaître mon opinion au sujet de ta Cinquième création », songea-t-il. Il ne savait pas encore ce qu'il comptait faire subir à Boox, mais il était persuadé que cette fois, il allait réussir à l'éliminer définitivement.

Alors qu'il s'apprêtait à gravir les nombreuses marches du temple, le pied de Pak'Zil apparut devant lui, masquant le grand escalier, prêt à s'abattre sur lui.

•

Devant Zenkà se tenait un homme, si on pouvait appeler ainsi ce corps en état de putréfaction avancée qui le fixait et dont le visage semblait avoir été à moitié mangé par un jaguar. Les mains parallèles au sol, il avançait comme s'il glissait.

Zenkà fut surpris pour deux raisons. La première, parce qu'après tout ce que Yanto lui avait raconté sur le cinquième niveau de Xibalbà et sur sa solitude, il ne s'attendait vraiment pas à y trouver un Maya. Zenkà ne se serait jamais lié d'amitié avec ce genre de personnage qui semblait avoir autant de conversation qu'un épi de maïs. Bien entendu, dans des situations extrêmes, tout Maya savait s'adapter.

La deuxième raison était que le Maya en question n'avait pas de jambes. Il avait des genoux, mais rien en dessous. Dans ces conditions, comment pouvait-il marcher ?

- C'est la deuxième fois que j'en vois un, murmura Yanto, fasciné.

Zenkà fit un pas en avant, mais Yanto l'empêcha d'aller plus loin.

- C'est le deuxième Maya que vous rencontrez dans ces lieux paradisiaques ? Si nous sommes assez persuasifs, nous pourrions lui demander de former un club de morts-vivants, non ? Une fois de temps en temps, nous irions nous balader au quatrième niveau, juste pour nous changer les idées.

- Je ne suis pas désespéré au point de vouloir me faire un ami d'un Rêvé.

- Un Rêvé ?

- Oui, c'est le nom que je donne à ces... personnages. Ils n'existent pas vraiment.

C'est une occasion rare, vous avez une chance de bossu, il y en a très peu.

- Je considère que perdre un bras est aussi une « occasion rare ». C'est mon jour de chance. Comment pouvez-vous dire qu'il n'existe pas ? En plus d'être mort, est-ce que j'ai des hallucinations ?

Le Rêvé avança. Yanto décida de le suivre. Il fit signe à Zenkà de faire de même.

- Il vous est déjà arrivé, étant vivant, de faire des cauchemars ? demanda Yanto.

- Si vous considérez que rêver de porter une jupe et d'aimer ça est un cauchemar, oui, répondit Zenkà.

Yanto esquissa un sourire.

- Pas ce genre de cauchemar. Je vous parle de ceux qui font que vous vous réveillez en sueur, le cœur palpitant et les yeux exorbités.

- C'est exactement la réaction que j'ai eue.

- Il y a des personnages, dans les cauchemars. Des situations. Des bêtes à trois têtes. Des décors angoissants. Des dangers. Des guerriers redoutables qui rêvent de porter des jupes. Tout part d'ici.

Zenkà ferma les yeux.

- Je n'aurais jamais dû vous faire cette révélation.

- Cela restera entre vous et moi. Les chauveyas ne raffolent pas de ce genre d'histoire.

Yanto fit une pause, observa le Rêvé, puis poursuivit :

- J'ai passé beaucoup de temps à réfléchir. Ici, il n'y a que ça à faire. Si je comprends bien, Tuumax, le dieu des Cauchemars, est en quelque sorte le chef qui orchestre les mauvais rêves.

- Il les met en scène ?

- C'est exact. Et je crois qu'un lieu existe où toute cette mascarade se produit, mais j'ignore où il se trouve. Ce Rêvé s'en est manifestement échappé. C'est une occasion en jade de voir d'où il vient.

- Ce doit être un endroit spacieux, non ? Combien de Mayas font des cauchemars chaque nuit ?

- J'ai fait le tour complet de ce niveau des centaines de fois. Je n'ai rien vu de tel.

Yanto et Zenkà avancèrent encore. Le Rêvé ne semblait pas savoir où il allait. Parfois, il avançait rapidement, puis s'arrêtait.

- Que fait-il ? demanda le guerrier de Kutilon.

- Aucune idée. Il semble confus.

- Vous croyez qu'il tente de retrouver son chemin ?

- Qui sait ? Je ne crois pas que l'endroit où il habite soit très agréable. Le premier Rêvé que j'ai vu était fort troublé. Il n'avait plus de mâchoire inférieure et ses yeux sortaient de leur orbite. J'ai tenté d'entrer en communication avec lui, mais en pure perte, il agissait comme s'il ne me voyait pas. Lorsque je lui ai touché le bras, une grande froideur a envahi ma main. Ces êtres ne sont pas des Mayas.

- Allons à sa rencontre, nous en aurons le cœur net.

- Non, c'est trop dangereux. Tuumax, à l'heure qu'il est, doit le chercher.

- Nous sommes morts, Yanto. Y a-t-il pire situation que celle-là ?

Zenkà marcha en direction du Rêvé. Malgré ses avertissements, le jeune guerrier n'allait en faire qu'à sa tête, Yanto le voyait bien. Lui aussi avait déjà été jeune et naïf, des centaines d'années auparavant. La dernière fois, il avait réussi à harceler le Rêvé pendant un bon moment avant que le dieu des Cauchemars ne fasse son apparition. Cette fois-là, il l'avait échappé belle. Mais Zenkà avait raison, ils étaient morts. Quel sort pire que cela Tuumax pourrait-il leur réserver s'il parvenait à leur mettre le grappin dessus ? Paradoxalement, même s'il était un mort-vivant, Yanto avait gardé sa pulsion de vie. Il craignait Tuumax au plus haut point, parce qu'il sentait que le dieu des Cauchemars pourrait lui faire du mal.

Zenkà se plaça devant le Rêvé, qui l'ignora. Il lui fit de grands signes avec le bras qui lui restait.

- Vous me voyez ? Je m'appelle Zenkà. Je viens du Monde intermédiaire.

- Et dans ses rêves les plus fous, cria Yanto, il porte une jupe. Et il aime ça ! Zenkà se tourna vers son nouvel ami.

- Vous êtes très drôle, cher marchand de plumes !

Sans qu'il ait pu l'éviter, le Rêvé le heurta. À l'endroit où il l'avait touché, sur la poitrine, Zenkà sentit une vague glaciale qui s'enfla bientôt pour s'emparer de tout son corps. Il recula aussitôt.

- Pas très chaleureux, ce Maya, fit-il.

Le guerrier tenta de nouveau de le faire réagir. Il s'empara d'un caillou de la taille de son poing et le lui lança au visage. La tête du Rêvé sembla absorber le projectile et, quelques instants plus tard, le caillou refit son apparition derrière sa tête avant de retomber sur le sol.

Ne voyant aucun danger apparent, Yanto s'approcha. Zenkà, dès qu'il fut à ses côtés, lui dit :

- Nous devrons oublier notre club de morts-vivants. Celui-là n'est ni mort ni vivant.

Yanto se mit à genoux et passa sa main là où les mollets du Rêvé auraient dû être.

- C'est bien ce que je me disais.

Un légère brise caressait le visage de Yanto. Il se releva prestement, comme s'il avait été piqué au vif.

- Que se passe-t-il ? demanda Zenkà.

- Venez avec moi, cachons-nous. Je crois que Tuumax n'est pas loin.

••

Pour une tête qui avait été séparée du reste de son corps depuis des centaines d'années, elle était bien conservée. Ah Puch l'avait traitée aux petits oignons, repoussant tous les insectes qui auraient voulu se régaler de ses chairs mortes. Boox avait été un ennemi redoutable et il désirait que le souvenir qu'on allait en garder reste intact.

La peau du visage était devenue du cuir et avait bruni avec le temps. En raison du processus d'assèchement, ses lèvres s'étaient retroussées pour laisser paraître une dentition lamentable. Des dents manquaient et celles qui restaient étaient croches et noircies.

Les globes oculaires n'étaient plus en place depuis des lustres ; ils n'avaient pas résisté aux assauts du temps. Ah Puch avait retiré les yeux et les avaient offerts à Cama Zotz, dieu des Chauves-souris, qui adoraient ce genre de sucreries. Le crâne possédait encore tous ses cheveux, quelques poils de sourcils apparaissaient même encore, bien plantés dans la peau.

C'est cet objet peu ragoûtant que Boox voulait que Laya embrasse. Bien que momifié depuis belle lurette, le crâne dégageait une odeur répugnante. Pas de celles qui font vomir sur-le-champ, mais celles qui laissent des effluves nauséeux impossibles à oublier.

Laya était horrifiée. Elle ignorait ce qui l'attendait concrètement lorsqu'elle allait poser ses lèvres sur cette bouche partiellement édentée, mais elle savait que cela allait sceller son sort jusqu'à sa mort. Malgré son jeune âge, elle désirait avoir des enfants. Plus de six, si possible! Avec un prince, bien entendu, puisqu'elle était une princesse.

Pakkal, même s'il était encore jeune, l'intéressait au plus haut point. Il était légèrement plus petit qu'elle et avait encore sa voix fluette de jeune garçon. Mais il était joli, très courageux et était pressenti pour diriger l'une des plus somptueuses cités mayas. De plus, il allait sauver la Quatrième création. Quel meilleur parti pourrait se présenter à elle ?

Depuis que Laya avait fait sa connaissance, elle s'était faite à l'idée qu'il serait son époux et avait élaboré en secret des plans de mariage fort sophistiqués. Elle savait à quoi allaient ressembler sa robe et sa coiffure, avait choisi la musique qu'on allait jouer. Tout avait été prévu, son imagination n'avait pas de limites. Pakkal, bien entendu, n'avait pas eu son mot à dire, il n'était même pas au courant de son projet. En temps voulu, elle allait lui en parler, mais n'avait toujours pas trouvé le courage de lui faire part de son amour.

Or, toutes ces fantaisies d'adolescentes ne deviendraient jamais des réalités. En lieu et place, elle allait être forcée d'épouser un être ignoble et allait enfanter des monstres destinés à peupler la Cinquième création. Son rêve s'était transformé en un cauchemar qu'elle vivait les yeux grands ouverts. D'ailleurs, son prince aimé était probablement mort à l'heure qu'il était. S'il avait été encore vivant, il serait venu à son secours.

Laya eut un pincement au cœur et une larme roula sur sa joue. Elle aurait dû lui dire qu'elle l'aimait quand elle en avait eu l'occasion. À présent, il était trop tard. Jamais Pakkal n'allait savoir à quel point elle l'avait trouvé parfait. Malgré son jeune âge, elle n'était pas naïve au point de croire que l'homme idéal existait. Elle avait passé beaucoup de temps avec son père, entre deux cités, au milieu de la forêt, à discuter de l'amour, cette chose à la fois si simple et si complexe. Son père, le marchand de jade sacrifié par le grand prêtre de Palenque, lui avait bien expliqué les signes de l'amour : « Une autre personne va prendre possession de ton esprit sans ton assentiment au point où tu deviendras obsédée et que sa non présence te fera cruellement souffrir. » C'était ce que le père de Laya affirmait avoir vécu avec sa femme.

Laya avait cru que son père exagérait ses sentiments. Jamais, avait-elle pensé, elle n'allait autoriser quelque personne que ce soit à prendre possession de son esprit et à la manipuler de la sorte. Jamais elle ne serait obsédée et soumise à un homme, elle n'avait pas ce tempérament. Jusqu'à ce qu'elle rencontre Kinic'h Janaab Pakkal, dit le Bouclier, prince de Palenque, né le même jour que la Première Mère dont la réincarnation était sa propre mère. Elle savait désormais que son défunt père avait dit vrai.

La bouche à quelques centimètres du crâne, Laya sentit Boox relâcher ses cheveux. Elle crut qu'elle allait enfin pouvoir s'éloigner, mais par une force mystérieuse, sa tête continua à être attirée par l'horrible fétiche. Jusqu'à ce qu'elle sente ses deux mâchoires s'écarter comme si deux mains munies de doigts de marbre lui ouvraient la bouche. Elle tenta en vain de pousser un cri et il lui sembla que rien ne pourrait empêcher cette manœuvre douloureuse. Alors qu'elle était persuadée que sa mâchoire allait se décrocher, le supplice cessa brutalement. Sa bouche se pressa alors sur celle de la tête momifiée.

Boox caressa les cheveux de couleur or de la princesse.

- Si tu savais à quel point je suis heureux que tu existes. J'ai vécu trop longtemps à t'attendre. Ce sera très douloureux, mais tu n'en mourras pas. Respire par le nez et tout se passera tel que prévu. Donc très mal.

Laya tenta de se détacher de la bouche de la tête momifiée, mais elle y restait soudée comme si on l'y avait fixée avec du mortier.

Il ne se passait rien. Le processus avait-il commencé ? se demanda Laya. Est-ce que les *sak nik nahal* étaient en train de s'introduire dans son corps ? Boox s'était donc amusé à l'apeurer en brandissant le spectre de la souffrance. Elle ne sentait rien, hormis l'odeur dégoûtante du crâne. Si c'était le seul désagrément qu'elle allait devoir subir, le processus n'était pas si pénible, se dit-elle, presque soulagée.

Elle vit apparaître, à côté du crâne, la tête de hibou de Boox. Celui-ci, posant sa main dessus, tira sa langue pointue et poussa un hululement. Alors débuta le calvaire.

Laya eut l'impression qu'on lui versait un torrent d'eau dans la bouche et elle eut l'impression qu'elle allait se noyer. Incapable de bouger, incapable de parler ou d'émettre un son, elle songea qu'elle était en train de vivre ses derniers moments. Un sentiment de panique l'envahit. Elle ne pouvait plus respirer.

Comme si Boox avait compris ce qu'elle ressentait, il lui répéta :

- Je t'ai dit de respirer par le nez.

Laya obéit et retrouva un semblant de confort. La pression de cette matière qui semblait pénétrer dans sa bouche et descendre le long de son œsophage était d'une telle intensité qu'il lui sembla qu'elle allait exploser. Elle imagina son ventre gonflé comme un immense ballon dans lequel on aurait injecté une substance liquide avec une force inouïe. Pourtant, rien ne transparaissait de l'extérieur, son ventre était plat, son visage vide de larmes. La princesse était seule, enfermée dans son tourment.

Alors qu'elle croyait avoir atteint le summum de la douleur et un point de non-retour qui lui fit croire que sa fin, bien qu'elle fût imminente, allait durer une éternité, elle accéda à un autre niveau, encore plus intolérable. Combien de temps allait durer ce supplice ?

Des crampes dans le bas du ventre lui firent comprendre le sens du terme insupportable. Instinctivement, elle se plia en deux. La souffrance fut telle qu'elle supplia intérieurement quiconque avait sur elle le pouvoir de vie et de mort de mettre fin à ses jours.

...

Yanto ne s'était pas trompé : quelques instants après avoir annoncé la venue de Tuumax, le dieu des Cauchemars fit son apparition. Il était accompagné de deux créatures qui ressemblaient à des chiens. Leur corps était d'une extrême maigreur et dépourvu de poil et des filets d'une substance gluante pendaient de leur gueule. En outre, leurs yeux jaunes brillaient lorsqu'ils étaient plongés dans l'obscurité.

Zenkà et Yanto les observaient, cachés dans une fissure du sol. L'ancien marchand fit signe à Zenkà de se baisser.

- Que se passe-t-il ? demanda le guerrier.

- Moins fort, ils vont nous détecter.

- Qui ? chuchota Zenkà. Les choses baveuses ?

- Les chiens, oui. Ils m'ont déjà pourchassé. Je l'ai échappé belle, chaque fois, Tuumax les a rappelés en sifflant. Je crois que ça l'amuse de me savoir en liberté, sur son territoire. Il me chasse et ça le divertit.

- Il faudrait lui donner une leçon, grommela Zenkà.

- Pour l'instant, c'est plutôt lui qui veut nous en donner une. Alors déguerpissons. Sinon, les chiens vont nous détecter, c'est une question de temps.

Yanto et Zenkà se hissèrent sur le sol, se remirent sur leurs jambes et prirent la fuite dans la direction opposée à celle d'où venaient les chiens. Zenkà se retourna. Les chiens, qui venaient d'apercevoir le Rêvé, se ruèrent sur lui. Le Rêvé, apeuré, protégea sa tête. Zenkà, qui s'était retourné, le fixait, ahuri.

- Que vont-ils lui faire ?

- Comment pourrais-je le savoir ? Venez, nous en parlerons après.

- Après, il sera trop tard. Il a peur.

- Eh bien, moi aussi, j'aurais peur si j'étais à sa place.

- Mais il est comme nous ? Il a des sentiments ?

Yanto ne dit rien. Les chiens bondirent sur le Rêvé et s'attaquèrent chacun à un de ses bras. Il poussa un cri qui figea Zenkà.

- Il souffre, fit-il.

Yanto se plaça devant le guerrier de Kutilon.

- Nous devons partir.

Tuumax observait ses chiens en train de torturer le Rêvé. Visiblement, le spectacle lui plaisait.

Zenkà contourna Yanto et fit un pas en direction du dieu des Cauchemars. Yanto le retint :

- Que faites-vous ?

- Je vais lui faire comprendre que sa cruauté ne m'amuse pas.

Yanto ouvrit la bouche, mais aucun son n'en sortit. Il était désarçonné par la réaction de son compagnon.

- Zenkà. Il s'agit de Tuumax. Le dieu des Cauchemars. Un seigneur de la Mort.

Zenkà ne le regardait pas. Il n'avait d'yeux que pour Tuumax.

- Je sais.

- Alors que faites-vous ? Nous ne devrions plus être ici.

Zenkà ne raisonnait pas. Il avait toujours cette envie de vengeance inscrite sur le visage.

Yanto haussa le ton.

- Que se passe-t-il? Est-ce que les vers dans votre cerveau ont bouffé toute votre raison? Vous n'avez aucune chance contre lui. Ses chiens vont vous dévorer. En plus, il vous manque un bras.

- Nous sommes deux, fit Zenkà.

- Deux?

Zenkà se pencha et ramassa une pierre. Il la soupesa.

- Je n'embarque pas dans votre folie, fit Yanto. Je suis un marchand, pas un soldat. Je n'ai aucune aptitude pour la bataille.

D'un élan sec, Zenkà lança la pierre. Elle atteignit le côté de la tête de l'un des chiens qui couina et se réfugia entre les jambes de son maître. Yanto n'en revenait pas de la précision de Zenkà.

- Heureusement que vous êtes maladroit du bras gauche!

- C'est la chance du débutant!

La stupéfaction de Yanto céda rapidement la place à l'effroi lorsqu'il s'aperçut que le dieu des Cauchemars les observait. Même s'ils étaient dans l'ombre, Yanto savait que Tuumax pouvait tout de même les voir.

- Eh bien, votre chance vient de prendre fin.

Tuumax siffla et pointa du doigt Yanto et Zenkà. Les chiens suivirent des yeux son geste, hésitèrent quelque peu, puis leurs yeux jaunirent et se fixèrent. Ils venaient d'apercevoir leurs proies. Ils retroussèrent leurs babines et de leur bouche s'écoulèrent des filets de bave.

Yanto ne savait comment réagir. Son instinct lui dictait de se sauver. Mais parce qu'il voyait Zenkà stoïque, il était tenté de croire que c'était la bonne manière de réagir.

Yanto tourna la tête vers Zenkà, tout en gardant les yeux sur les cabots.

- Que comptez-vous faire ?

- Nos esprits se rencontrent, j'allais vous poser la même question.

« Il a perdu la tête », se dit Yanto, en déguerpissant tandis qu'il voyait les chiens s'élancer vers eux.

Zenkà resta immobile. Lorsque le premier chien, la gueule ouverte, bondit pour lui sauter à la gorge, il fit un grand bond de côté afin de l'esquiver. Encore porté par son élan, il empoigna la queue du chien de sa main valide et s'en servit comme s'il s'agissait d'un gourdin, pour frapper l'autre chien. Les cabots retraitèrent.

- Vous faites preuve de ce qu'on appelle de la cruauté envers les animaux.

Zenkà se retourna. Tuumax était à moins d'un bras de distance. Il recula. Des chauveyas apparurent tout autour et le survolèrent.

- Vous êtes plus stupide que votre camarade. Je ne sais pas comment vous avez pu vous retrouver ici, mais on ne vous a probablement pas indiqué clairement qui je suis.

Zenkà eut des réminiscences de sa rencontre avec Muan, serviteur de Ah Puch, qui l'avait massacré. Il pensa qu'il pourrait subir le même sort. Il aurait dû suivre les conseils de Yanto. Mais à quoi avait-il pensé? Des vers lui avaient sûrement rongé le cerveau gauche; son sens de la logique avait disparu. Il avait agi stupidement. Si son grand-père avait été présent, il l'aurait sans aucun doute traité de « petite tête ». Pas un instant il n'avait songé que l'endroit était infesté de chauveyas!

Le Rêvé, ce cul-de-jatte que Zenkà désirait sauver, s'approcha de Tuumax. Il cala sa tête sur la poitrine du dieu, comme s'il avait besoin d'être consolé.

À cet instant, Zenkà sut qu'il était condamné.

····

Chini'k Nabaaj n'était qu'à quelques enjambées de la princesse Laya. Plus qu'une dizaine de marches à grimper et il pourrait lui venir en aide. Dès qu'il ferait le nécessaire pour que Laya soit hors de danger, il allait s'occuper de Boox, lui faire payer ses agissements cruels.

Inconscient de la menace qui pesait sur lui, alors qu'il s'apprêtait à gravir l'escalier du temple, Chini'k Nabaaj sentit qu'on tentait de lui broyer les os les uns après les autres. Le pied géant de Pak'Zil venait de s'abattre sur lui. Il en eut le souffle coupé. Aplati sur les marches du temple, il tenta d'éloigner la masse en la repoussant de ses bras. Peine perdue, il était trop faible pour atteindre la dent de Pak'Zil dont il aurait pu se servir.

De son côté, Pak'Zil, à la manière d'un enfant qui désire voir à quoi ressemble l'insecte qu'il vient d'écrabouiller, retira son pied. Il fut surpris de constater que sa victime était encore vivante. Chini'k Nabaaj bougeait. Sans doute faiblement, mais il n'était pas mort. Beaucoup plus par sauvagerie que par compassion, le géant décida de l'achever en faisant imploser son corps. Il souleva le pied jusqu'à la hauteur de ses genoux et, avec force, le fit retomber lourdement sur sa victime.

Chini'k Nabaaj avait prévu le coup. Il savait bien que si le géant avait retiré son pied, ce n'était pas parce qu'il était soudain bourrelé de remords, mais bien parce qu'il voulait vérifier qu'il était bien mort.

Voyant que son ex-ami s'apprêtait de nouveau à l'écraser, le Hunab Ku du prince de Palenque s'empara de la dent et la redressa, pointe vers le haut pour la faire pénétrer dans le talon de Pak'Zil jusqu'à la moitié. Le chauveyas géant retira instantanément son pied et poussa un cri de douleur. Pour ne pas perdre l'équilibre, il le reposa sur le sol, mais la douleur se fit encore plus vive et la dent s'enfonça complètement. Lorsqu'il tomba à genoux, la terre en trembla. Il contempla son talon ensanglanté et entreprit de retirer la dent.

Chini'k Nabaaj n'était pas parfaitement remis de l'écrasement qu'il venait de subir. Même s'il ne ressentait qu'une douleur diffuse, une de ses jambes était vraiment mal en point. Les os de sa rotule gauche avaient été broyés et certains fragments s'étaient déplacés derrière son genou de sorte qu'il ne parvenait plus à plier la jambe.

Maladroitement, il se releva, évitant de se tenir sur sa jambe raide comme un épi de maïs. Les emperators qui l'entouraient avaient reculé prudemment, redoutant les pieds de Pak'Zil, tandis que les chauveyas poursuivaient leurs vols planés au-dessus du temple.

Une fois debout, Chini'k Nabaaj se tourna vers la princesse. La bouche de Laya était toujours soudée à celle du crâne momifié de Boox, lequel observait la scène avec un indéniable plaisir. Pendant que Pak'Zil tentait de retirer la dent incrustée dans son talon, Chini'k Nabaaj essaya de gravir les marches. Hélas, sa jambe refusant de plier, il dut se résoudre à s'asseoir et à se traîner péniblement. L'ascension allait prendre des lunes de cette manière, se dit-il, pestant contre sa jambe invalide.

Boox, du haut des marches, détacha son regard de Laya pour le poser sur le prince.

- C'est de cette façon que tu comptes m'empêcher de faire naître la Cinquième création ? En rampant comme un ver ?

Boox émit une succession de bruits saccadés qui pouvait passer pour un ricanement.

- Le prince de Palenque né le même jour que la Première Mère désire s'en prendre à moi, poursuivit-il d'un ton moqueur. Même au faîte de la colère, tu n'arriveras pas à m'enlever une seule de mes plumes.

Chini'k Nabaaj ne devait pas mordre à l'hameçon que Boox lui tendait. Il lui fallait se concentrer sur un seul et unique but : libérer Laya. Chaque mouvement qu'il effectuait, chaque marche qu'il montait, même s'il la gravissait avec une infinie lenteur, le rapprochait de la princesse et du drame qu'elle vivait. Mais qu'est-ce que Boox lui faisait subir ? Elle émettait des gémissements tout en demeurant immobile, paralysée par la souffrance ou la peur.

Pakkal devait bien l'admettre, Laya ne le laissait pas indifférent. Il la trouvait belle et même si elle parlait trop, ne suivait pas les consignes et ne semblait jamais satisfaite, il appréciait sa compagnie. Toutefois, lorsqu'il imaginait former un jour un couple avec elle, il effaçait cette pensée invraisemblable. Laya ne l'aimait pas, c'était évident. Elle le considérait comme un ami, peut-être... mais comme un amoureux ? Non, jamais il ne devrait entretenir de tels espoirs. Il venait d'avoir douze ans, elle en avait quatorze, bientôt quinze. Et elle était si belle. Trop belle pour lui : inaccessible.

Cependant, transformé en Chini'k Nabaaj, ses réticences n'avaient plus de raison d'être, il ne mettait aucune entrave à ses sentiments :

Laya l'avait ensorcelé. Il l'aimait de tout son être et il ne cessait de penser à elle. Et cet amour, il avait le besoin pressant de le lui communiquer. Chini'k Nabaaj souffrait de voir Laya dans cet état. Mais il savait aussi qu'il allait devoir se soumettre à un affrontement avec le chef des Gouverneurs.

Boox heurta du pied un caillou qui dégringola les marches et frôla Chini'k Nabaaj. Sa voix résonna avec force dans le temple des Étoiles :

- Pourquoi crois-tu que Ah Puch m'a condamné à errer entre le Monde intermédiaire et le Monde inférieur ? Parce qu'il me sait trop puissant pour lui. Il me craint. Il m'a donné une armée de dégénérés pour m'amadouer, mais cela n'aura pas réussi à me berner.

Il se tourna vers Laya.

- Dans quelques jours, ton amie accouchera des premiers êtres de la Cinquième création, la mienne qui avalera lentement la tienne. Ce sera un délice.

Le chef des Gouverneurs fixa son attention sur la princesse. Elle était redevenue silencieuse, mais ses bras et ses jambes tremblaient et ses yeux étaient révulsés.

- Elle absorbe tous les *sak nik nahal*. Ce spectacle est si beau que je crois que je vais pleurer. Comme ton amie, d'ailleurs. Tu vois les larmes qui coulent de ses yeux ? C'est vraiment touchant.

Il émit une nouvelle succession de bruits en guise de rire. Chini'k Nabaaj, bouillant de colère, perdit son sang froid. Il s'empara d'un caillou et le lança en direction de Boox, qui le reçut sur le bec.

Boox mit ses mains sur sa tête de hibou. Lorsqu'il se retourna, Chini'k Nabaaj remarqua que le chef des Gouverneurs saignait. Celui-ci posa ses doigts sur sa blessure, les contempla et fut pris d'une violente colère. Il ouvrit le bec, d'où émergea une langue pointue et hulula :

- Tu... vas... mourir !

Il le pointa du doigt.

- Tue-le ! Mais amuse-toi un peu avant.

Chini'k Nabaaj se retourna pour voir à qui Boox s'adressait.

Pak'Zil, en chauve-souris géante, se tenait debout devant lui. Il ouvrit la main et l'avança vers Chini'k Nabaaj.

====

Pris par surprise, handicapé par sa jambe inflexible, Chini'k Nabaaj ne put éviter la manœuvre de Pak'Zil. Il se sentit soulevé et placé dans la main du géant, qui l'approcha de face en ouvrant la gueule. Mais au lieu d'être englouti dans la bouche de son meilleur ami pour être mastiqué à mort, il fut projeté dans les airs et frappé par un chauveyas, qui tentait en vain de l'attraper. En lieu et place, il atterrit sur un emperator qui n'apprécia pas qu'on le dérange au moment où il s'étirait les pinces. Dès que Chini'k Nabaaj se releva, le scorpion géant attaqua. À peine remis du choc, Chini'k Nabaaj fit une roulade. La deuxième attaque faillit lui être mortelle : le dard s'était planté à moins d'une main de son entre-jambe. Chini'k Nabaaj frappa le dard d'un coup de poing afin de l'enfoncer profondément dans le sol. C'était une bonne idée : l'emperator n'arriva pas à le retirer.

La chute avait encore réduit la mobilité de sa jambe, qui était maintenant tournée vers l'intérieur dans un angle invraisemblable. Il la retourna et parvint à la remettre en place, mais pas entièrement. Ce n'était pas le moment de jouer les perfectionnistes, il devait sauver Laya.

Il avait été projeté plus loin qu'il ne l'avait cru. Le temple était à peine visible. Il devait trouver un moyen de s'y rendre rapidement. Obstacle majeur : les emperators se rapprochaient et Pak'Zil n'avait qu'un pas à faire pour s'emparer de lui de nouveau. Ses moyens de défense se limitaient désormais à ses poings et à ses dents. Il était clair que le combat n'était pas gagné.

Il chercha autour de lui un objet qui pourrait lui servir d'arme. Désolant spectacle : que des brins d'herbes, quelques feuilles mortes et des petits cailloux inoffensifs, rien qui puisse le rendre menaçant aux yeux de ses adversaires.

S'il devait mourir, se dit-il, il allait le faire dans la dignité : en se battant tant et aussi longtemps qu'il le pourrait.

C'est alors que son regard tomba sur le sac en peau de tapir, que lui avait remis

Itzamnà lors de son court séjour dans le Monde supérieur. Le contenu lui était encore inconnu, tout ce qu'il savait, c'est qu'il lui faudrait le remettre à Ah Puch en guise de présent. Il regarda autour de lui : aucun emperator ne semblait avoir vu le sac.

Sans réfléchir plus longuement, il se traîna jusqu'au sac à l'aide de ses coudes et de sa jambe valide.

Plus d'une dizaine de scorpions géants s'ébranlèrent pour se lancer à sa poursuite, sans compter les chauveyas qui tournoyaient au-dessus de sa tête. Dès que les soldats de Xibalbà se rendirent compte qu'il se rapprochait du sac, ils se hâtèrent, visiblement peu désireux de voir Chini'k Nabaaj mettre la main dessus. Qu'y avait-il là-dedans ? La partie ténébreuse de Pakkal allait le découvrir très bientôt. Au point où il en était, il n'avait plus rien à faire de l'avertissement d'Itzamnà.

Il n'était plus qu'à quelques bras du sac. Les emperators rebroussèrent chemin, la plupart des chauveyas s'éloignèrent aussi, sauf un qui continua à former des cercles dans le ciel. Ce qu'il y avait dans le sac allait lui sauver la vie.

Alors que Chini'k Nabaaj posait le bout de ses doigts sur l'objet tant redouté, on lui empoigna les chevilles et il fut tiré violemment vers l'arrière. Il se retourna : le chauveyas s'était posé et l'avait agrippé. Il battit sa jambe valide, mais le chauveyas y avait enfoncé ses griffes si profondément qu'il n'arrivait pas à s'en défaire.

Pour s'en libérer, il eut recours à une technique qu'on lui avait apprise pour se dé-faire d'une prise de jambes : il se tourna vio-lemment sur le côté. Les griffes déchirèrent sa peau, mais le chauveyas perdit sa prise. Chini'k Nabaaj lui asséna un coup de pied dans l'estomac et la chauve-souris géante recula. Ce fut suffisant pour permettre à Chini'k Nabaaj de se jeter sur le sac. Il l'empoigna et, trop impatient pour dénouer les liens, il défit prestement les cordons de cuir qui le fermaient et les arracha. Il mit la main dans le sac, agrippa ce qui semblait être une touffe de poils, retira l'objet du sac et, en détournant la tête, il l'exhiba en le tenant bien haut.

Dès que le chauveyas qui l'avait attaqué posa les yeux sur l'objet poilu, il s'immobilisa en poussant un hurlement rauque. Il posa les mains sur ses tempes, s'agenouilla et les poils qui recouvraient son corps commencèrent à tomber par touffes, tout comme les lambeaux de peau de ses ailes.

Il ne fallut ensuite que quelques secondes pour que le chauveyas reprenne la forme d'un Maya. La tête qui lui avait fait autant d'effet était celle de Buluc Chabtan, Dieu de la Mort subite et frère de Ah Puch.

Derrière le chauveyas, Chini'k Nabaaj aperçut Pak'Zil qui, très en colère, s'avançait vers lui. Sachant qu'il n'aurait pas le dessus sur lui, le Maya leva simplement la tête de Buluc Chabtan. Pak'Zil, dès qu'il l'aperçut, réagit de la même façon que le chauveyas : il s'immobilisa et une transformation instantanée s'opéra : le géant se mit à rapetisser à vue d'œil.

Se voyant désormais moins menacé et sa colère s'atténuant, Chini'k Nabaaj sentit qu'il reprenait sa forme originelle et redevenait Pakkal. Il fixa la tête de Buluc Chabtan et fut pris de nausée. Il détourna le regard et vanné, s'allongea sur le dos en fermant les yeux. Il sombra dans un sommeil profond.

Une voix se fit entendre, une voix qu'il connaissait bien.

- Prince Pakkal? Prince Pakkal? Comment vous sentez-vous?

L'héritier de Palenque eut du mal à soulever ses paupières. Elles étaient jointes comme si on les avait recouvertes de cire. Il se savait dans un environnement hostile, mais il n'avait aucune force pour se défendre.

- Laissez-moi vous aider à vous relever, dit la voix.

Dès qu'il quitta la position couchée, Pakkal fut pris de vertige. Il avait du mal à se tenir debout; sa jambe blessée le faisait terriblement souffrir. Il distingua la personne qui l'avait aidé, reconnut le contour du visage.

- Pak'Zil, c'est toi! Tu as repris ton apparence d'avant!

Effectivement, le jeune garçon qui se tenait devant lui n'avait plus rien d'un chauveyas, encore moins d'un géant.

- Pas tout à fait, dit le scribe. Il me manque une dent.

- Une dent?

Pakkal se rappela vaguement la lui avoir arrachée alors qu'il avait besoin d'une arme.

- Je ne sais pas de quoi tu parles, lui dit-il, ne désirant pas devoir justifier le geste de son double.

- J'ai l'air fou, fit le scribe.

- Je t'assure que tu l'étais plus quand tu étais un chauveyas géant.

Pakkal se rappela la tête de Buluc Chabtan. Il la chercha et la trouva à ses côtés, recouverte du sac en peau de tapir.

- C'est moi qui l'ai cachée, dit Pak'Zil. Je ne sais pas pourquoi, mais j'ai eu l'impression que j'allais vomir en la regardant. C'est la tête d'un dieu de Xibalbà, non ? Que faites-vous avec cela ?

Pakkal se sentait un peu mieux. Son vertige était moins accentué, mais sa jambe lui faisait aussi mal.

- Laya, dit-il. Il faut lui venir en aide.

Il tenta de se relever, mais la douleur lui arracha un cri.

- Votre jambe est cassée, dit Pak'Zil. Si vous bougez, vous risquez d'aggraver votre blessure.

Un cri perçant s'éleva.

- Laya, murmura Pakkal. Il regarda Pak'Zil dans les yeux.

- Nous devons sauver la princesse. Si nous n'y parvenons pas, ce sera la fin de la Quatrième création.

Zenkà s'attendait à être maltraité par Tuumax, mais il se trompait. Le dieu des Cauchemars empêcha même ses ignobles chiens d'approcher le guerrier de Kutilon. Lorsque l'un d'eux montrait des signes d'agressivité à son endroit, son maître lui assénait un coup de pied dans les côtes et lui ordonnait de rester calme.

- Ne touche pas à mon nouveau jouet!

Zenkà se demanda ce que le mot « jouet » signifiait pour lui. Que voulait-il dire ? Cela n'annonçait rien de bien sympathique.

Impossible cependant d'envisager la fuite. Les deux chiens étaient en laisse, certes, mais des dizaines de chauveyas survolaient les lieux, sans compter Tuumax, un des dieux de Xibalbà qui n'avait pas la réputation de briller par un excès de bonté. Il aurait dû fuir dès la minute où il l'avait aperçu ; à présent, il était trop tard.

- D'où viens-tu ? demanda Tuumax.

- Du Monde intermédiaire.

- Idiot, je le sais. Comment as-tu fait pour te retrouver dans ma demeure ? Qui t'a envoyé ici ?

Il vaut mieux en dire le moins possible, pensa Zenkà.

- Je ne sais pas.

- Tu penses que je vais te croire ?

- J'étais au premier niveau et... Je me suis endormi et je me suis retrouvé ici.

- Endormi, bien sûr ! Comme si dormir était une activité possible, ici.

Zenkà ne répliqua pas. Il sentait en Tuumax une tension faite d'impatience et d'agressivité. Il craignait que la fureur du dieu du Monde inférieur n'éclate et qu'il n'ait à en subir les conséquences. Il devait se tenir prêt à se défendre, même pour une cause perdue d'avance.

- Et ton ami, Yanto, c'est ça ? Il m'amuse bien. Il est arrivé comment, ici ?

- Je ne sais pas.

Tuumax secoua la tête.

- C'est mal de mentir. On ne t'a jamais appris cela ?

Tuumax s'approcha de Zenkà, le prit par les épaules et le retourna afin d'observer son dos. Il toucha ses plaies du bout des doigts.

- Tu es plutôt mal en point. Beaucoup de profondes blessures, cela ressemble à la signature de ce crétin de Muan. Je me trompe ?

Zenkà resta coi.

- Je te parle !

Disant cela, Tuumax fit pénétrer une de ses mains dans une plaie de Zenkà, qui sursauta. Il en retira un mille-pattes dont les crocs étaient deux fois plus gros que sa tête. Tuumax retourna Zenkà pour lui faire face, ouvrit la bouche, tira la langue et posa l'insecte dessus. Avec ses dents pourries, il le croqua en deux. La partie qui lui resta dans la main se tortillait. Il la fourra dans sa bouche et la mastiqua lentement en observant le guerrier de Kutilon.

- Son goût est parfaitement dégueulasse, fit Tuumax. J'aurais dû sans doute partager cette bestiole avec toi.

Zenkà ne broncha pas.

- Laisse-moi deviner. En haut, tu étais un de ces pitoyables guerriers ? Et tu es tombé sur l'ami de Ah Puch qui n'a fait qu'une bouchée de toi, évidemment.

L'orgueil de Zenkà prit le dessus.

- Je faisais partie de l'Armée des dons. Nous défendons la Quatrième création contre les envahisseurs.

- L'Armée des dons. Intéressant. Qui est le chef de cette armée ? Un autre guerrier indestructible de ta trempe ?

- Pakkal, prince de Palenque.

- Est-ce ce gamin de douze ans aux douze orteils, supposément né le même jour que la Première Mère ?

Zenkà garda le silence.

- Tu crois vraiment que ton armée peut quelque chose contre nous ? demanda Tuumax. Ton sens de l'humour m'échappe. Cela dit, quel que soit le moyen que vous avez utilisé, ton ami et toi, pour arriver ici, je suis heureux de t'accueillir. Un peu de nouveauté dans ma ménagerie ne me fera pas de tort. Il y a bien longtemps que Ah Puch m'a envoyé du nouveau matériel.

« Ménagerie », « jouet », « matériel », Zenkà usait d'un vocabulaire qui n'avait rien de rassurant.

- Mais avant tout, dit le dieu du Monde inférieur, je vais te redonner un peu de vigueur. Agenouille-toi.

La tête haute, Zenkà mit ses deux genoux sur le sol froid et gluant. Tuumax posa une main sur l'épaule du guerrier.

- Ne sois pas si tendu, je n'ai pas l'intention de te faire du mal. Au contraire.

Il fit pénétrer ses ongles dans la chair de Zenkà qui sentit une chaleur l'envahir. Puis il perçut des picotements partout où il avait des plaies. Des insectes nécrophages fuyaient son corps, lui sortaient par les narines, les oreilles et la bouche. Son bras droit se mit à repousser sous ses yeux, comme une plante se déploie pour profiter de la lumière du soleil.

Le Rêvé cul-de-jatte, qui avait assisté à la scène, s'énerva. Il poussait des gémissements et détournait le regard, comme si la vue de la régénérescence de Zenkà l'affectait. Tuumax posa sa main libre sur la tête de la pauvre créature qui se calma instantanément.

Lorsque Tuumax retira sa main, Zenkà avait repris l'aspect qui avait été le sien avant sa confrontation avec Muan et sa mort. Son corps n'avait plus une seule égratignure. Zenkà se sentait aussi vigoureux qu'il l'avait été dans le Monde intermédiaire. Il s'observa, émerveillé.

- Quel gracieux Maya tu fais, fit Tuumax.

Sentant qu'il avait repris des forces et l'usage de son bras, Zenkà envisagea de se sauver. Mais l'idée s'évanouit quand il se rappela qu'il n'avait nulle part où aller.

Cependant, s'il retrouvait Yanto, peut-être pourrait-il plus facilement avec son aide quitter cet endroit pourri.

Tuumax observa les chauveyas qui l'entouraient.

- Je suis content de mon travail, fit-il, attendant de la part des chauves-souris géantes une approbation qui n'allait jamais venir.

Zenkà devait réfléchir rapidement. Même s'il avait retrouvé sa force d'antan et que son corps était en parfaite condition, il ne pouvait se battre à mains nues. Il crut plus prudent d'attendre avant de tenter de s'échapper.

Tuumax, satisfait, se frotta les mains.

- J'ai très hâte de m'amuser avec toi.

Le dieu des Cauchemars fit signe à ses sbires de retraiter.

- On retourne à la maison, leur dit-il.

Puis, à Zenkà :

- Je n'ai jamais voulu amener ton ami Yanto dans le Terrain de jeu parce que j'aime qu'il me glisse entre les doigts. D'ailleurs, il est trop chétif. Toi, c'est différent. Tu es un guerrier. Et pas très intelligent, sinon tu te serais déjà enfui avec l'autre. Parfait pour le projet que j'ai conçu.

Une question brûlait les lèvres de Zenkà. Il ne voulait pas montrer son trouble, mais c'était plus fort que lui. Il demanda :

- De quel Terrain de jeu parlez-vous ? Que comptez-vous faire de moi ?

Sans le regarder, Tuumax répliqua :

- Si tu croyais tes souffrances terminées, détrompe-toi. Elles ne font que commencer. Et elles seront éternelles.

Pak'Zil aida Pakkal à se relever. Le prince grimaça de douleur.

- Appuyez-vous sur moi, dit le scribe. Je marcherai lentement.

- Non, dit Pakkal. Tu dois m'aider à avancer le plus vite possible. Je crains d'arriver trop tard.

Pakkal mit son bras autour du cou de Pak'Zil.

- Que se passe-t-il ? J'ai l'impression d'avoir dormi très longtemps. La dernière chose dont je me rappelle est la horde de chauveyas qui venait sur moi.

- Eh bien, je vais te dire la vérité. Depuis, tu as essayé de me tuer plusieurs fois. Ouch !

- Désolé, je fais de mon mieux. Il faudrait vraiment que vous restiez couché. Je ne suis pas un praticien, mais il me semble que votre jambe n'est pas placée pour avancer dans la bonne direction.

- Laya absorbe en ce moment tous les *sak nik nahal*. Si nous n'intervenons pas immédiatement, elle va accoucher de nouveaux êtres.

- Accoucher ?

- Oui, les femmes accouchent, tu le savais ?

- Les femmes accouchent ? Vous voulez dire qu'elles mettent au monde des enfants ?

- Oui, par le nombril, dit Pakkal, sarcastique.

Le plus sérieusement du monde, Pak'Zil répondit :

- Par le nombril ? C'est étrange !

- Eh bien, tu étais un chauveyas géant il y a quelques minutes. Et je me suis servi d'une de tes dents pour me défendre contre toi. Ça, c'est étrange. Je t'expliquerai les mystères de la vie plus tard.

Pak'Zil constata qu'ils étaient entourés d'emperators et que, plus loin, des dizaines de chauveyas voltigeaient de manière erratique. Certains entraient même en collision.

- Nous ne nous rendrons jamais là-bas, fit le scribe. Ils sont trop nombreux.

- Ils ne nous attaqueront pas, fit Pakkal. Pas si nous apportons avec nous la tête de Buluc Chabtan. Elle les repousse.

Pak'Zil aida Pakkal à retourner auprès de la tête mystérieuse, toujours recouverte du sac en peau de tapir. Il s'en empara.

- Eh bien, elle me repousse aussi. J'ai failli vomir en la voyant.

- Faudra t'y faire. Rendons-nous au temple.

Chaque pas que Pakkal devait accomplir pour avancer lui infligeait une douleur insupportable. Il tenta de n'en rien laisser paraître, mais à l'occasion, il demanda à

Pak'Zil de s'arrêter. Se rendre au temple lui aurait pris moins de deux minutes en courant s'il n'avait pas été blessé. Une jambe en moins, le trajet devenait interminable. C'était d'autant plus énervant que les gémissements de Laya se faisaient entendre, devenant de plus en plus insistants.

Comme prévu, ils ne furent pas menacés par les sbires de Xibalbà. Ils pouvaient avancer sans crainte, les chauveyas et les emperators gardant leur distance.

Devant l'imposante pyramide, Pakkal constata que Boox n'était plus au sommet. Il ne vit que Laya et le crâne maléfique qui lui transférait les *sak nik nahal*.

- Prends garde, fit le prince. Boox est probablement tout près.

Pak'Zil regarda à gauche et à droite.

- Qui ? Boox ? Est-il un méchant ?

Pakkal retrouvait son ami tel qu'il l'avait connu : peureux.

- Ne t'inquiète pas. Le chef des Gouverneurs n'est pas très méchant. Couvre-moi. Je vais aller rejoindre Laya là-haut.

- Vous ne pourrez jamais monter en sautant sur une jambe. Vous avez déjà du mal à respirer.

Pakkal ne voulait pas discuter.

- Amène-moi là-bas.

Au pied des marches, Pakkal remit la tête de Buluc Chabtan à Pak'Zil.

- Tu restes ici et tu me dis s'il apparaît, d'accord ?

- Il ressemble à quoi ? Comment je vais faire pour le reconnaître ?

- Eh bien, si tu vois un colosse à la tête de hibou qui ne semble pas de bonne humeur, fais-moi signe.

- Attendez un instant ! Un quoi ?

Pakkal ne répondit pas et entreprit de gravir le grand escalier du temple en se traînant. C'était une véritable torture. Il s'était trompé en croyant qu'il ne pouvait pas souffrir plus que lorsqu'il se déplaçait aidé de Pak'Zil. Il devait reprendre son souffle et s'arrêter à chaque marche, affaibli par la douleur.

Même s'il se sentait protégé par la tête de Buluc Chabtan, il devait se hâter. Si un chauveyas ou un emperator plus courageux que les autres l'attaquait, jamais il ne pourrait se défendre. Il chassa cette idée, craignant d'attirer sur lui la malchance. Plus qu'une dizaine de marches et il serait aux côtés de Laya pour l'aider. « Je vais y arriver », se dit-il pour s'encourager.

Aux prises avec de fortes nausées, Pak'Zil avait posé la tête du dieu de la Mort subite sur le sol. Lorsqu'il ne la touchait pas et ne regardait pas dans sa direction, l'inconfort disparaissait. Plus il s'en éloignait, mieux il se sentait. Dans le cas d'une attaque de Boox, il aurait amplement le temps de la récupérer, il n'aurait qu'à prendre son élan et à bondir dessus.

À quelques marches de son but, Pakkal constata que les chauveyas s'étaient approchés dangereusement de lui. Il entendait Laya pousser ses rauques inspirations. Il se retourna pour voir si Pak'Zil était toujours à son poste et constata avec amertume que le scribe avait posé la tête de Buluc Chabtan beaucoup trop loin de lui. Pour l'atteindre, le scribe devrait faire plus d'une dizaine de pas !

- Pak'Zil ! La tête, tu dois la garder avec toi, lui cria-t-il ! Elle est beaucoup trop loin.

Son ami leva les mains pour le rassurer.

- Ne vous inquiétez pas. Je peux l'atteindre facilement en un saut. Trop proche, elle me donne mal au cœur.

- Un saut !? Tu n'es pas un singe, que je sache ! Il te faudra au moins une dizaine de pas si...

Pakkal s'interrompit, il venait d'apercevoir Boox derrière le temple. Le chef des Gouverneurs observait l'état des lieux. Son regard fit plusieurs allers et retours entre Pak'Zil et Pakkal.

- Pak'Zil ! hurla Pakkal. Il est là !

- Qui ?

Le scribe fit un tour sur lui-même. Derrière lui se tenait un être à la tête de hibou d'une stature impressionnante. Il n'était pas de « mauvaise humeur », il avait l'air en furie.

Pak'Zil lui adressa un sourire forcé et leva la main :

- Bonjour, je m'appelle Pak'Zil.

Boox fonça dans sa direction. Le scribe réalisa alors que la tête de Buluc Chabtan était finalement assez loin de lui et qu'il lui faudrait quelques minutes pour l'atteindre. Il se précipita sur elle.

Pendant ce temps, Pakkal accélérait la cadence. Il réussit enfin à atteindre la princesse. Elle était allongée sur le sol, couchée sur le ventre, son visage tourné de côté. Lorsque le prince de Palenque se pencha auprès d'elle pour lui parler et qu'il découvrit l'état dans lequel elle se trouvait, il eut un choc.

···

Zenkà n'en pouvait plus de marcher : il lui semblait que cela faisait des mois qu'il était le prisonnier de Tuumax. À présent que son corps était régénéré, il aurait dû se sentir dans une forme splendide. Pourtant, il était las. Las des décors, toujours les mêmes, las des murs suintant d'humidité et couverts d'une substance noire et visqueuse, las des sols glissants, des torches de feu bleu et de la succession répétitive de corridors identiques. Parfois, des animaux — pouvait-on considérer ces êtres étranges comme des animaux? — surgissaient et disparaissaient aussi rapidement, effrayés.

Où Tuumax l'amenait-il? Depuis sa mort, il avait visité bien des endroits ignobles à Xibalbà. Les lieux où le dieu des Cauchemars le conduisait étaient-ils comparables à la Cuisine où on préparait des cadavres destinés à nourrir les habitants du Monde inférieur? Zenkà ne pouvait imaginer endroit plus répugnant.

Le guerrier de Kutilon entretenait toujours son désir de s'enfuir. Mais il attendait une occasion propice, car l'armée des chauveyas était toujours là. Combien étaient-ils? Il y en avait tant qu'il avait cessé de les compter. Même si son corps était redevenu ce qu'il était dans le Monde intermédiaire, fort et vigoureux, jamais il ne pourrait éliminer plus d'une quinzaine de ces chauves-souris géantes.

Mais plus que son impuissance à vaincre ses ennemis, c'est l'ennui qui lui pesait le plus. La monotonie du paysage et des décors le déprimait. Il se dit que la pire chose qui pourrait lui arriver serait d'être forcé de se déplacer sans jamais arriver à destination jusqu'à la fin des temps. Pour un Maya qui n'avait besoin que de trois heures de sommeil par nuit et qu'on disait infatigable, cela aurait été l'ultime cruauté.

Le Rêvé les accompagnait, avançant comme une ombre, glissant à ses côtés. Il avait tenté d'entreprendre une discussion avec lui, en vain. Il était évident que cet être privé de jambes n'avait pas toute sa tête non plus. Zenkà lui avait demandé d'où il venait. Sa réponse n'avait été qu'un rire long et strident, suivi d'un torrent de larmes. Lorsque Zenkà s'était enquis de son état, le Rêvé lui avait répondu qu'il aimait fourrer des champignons dans ses narines et faire peur aux petits enfants. Zenkà coupa court à la discussion; que pouvait-il bien attendre d'un individu qui se déplaçait sans marcher et qui agissait avec Tuumax comme un animal de compagnie, fidèle et soumis?

Tuumax s'arrêtait à plusieurs reprises pendant leur périple pour grignoter des membres de cadavres que des chauveyas transportaient dans des sacs fixés à leur dos. Dans ces bagages : une chaise et une table faites de tibias, de fémurs, d'humérus, de radius ou d'os coxaux. Le dieu des Cauchemars posait les sacs devant lui et dégustait les chairs en putréfaction, jetant ses restes aux chauveyas qui se battaient entre eux pour obtenir leur part. Lorsque les bêtes étaient affamées, elles se permettaient tous les coups.

- Tu as faim ? demanda Tuumax à Zenkà alors qu'il détachait de son orbite l'œil d'un crâne de Maya.

- Non.

Le guerrier de Kutilon mentait. Il était affamé. Même si l'idée de manger des cadavres le dégoûtait, paradoxalement, en voyant Tuumax s'en délecter, il salivait.

Cette constatation le déprimait : c'était la preuve, pensait-il, que sa patrie était encore et serait toujours Xibalbà. Sa nouvelle apparence n'y avait rien changé.

Tuumax détacha l'autre œil de son orbite, le déposa délicatement sur sa langue et, les yeux fermés, le dégusta. En se léchant les doigts, il dit à Zenkà :

- Je sais que tu as faim.

- Je n'ai pas faim, rétorqua le guerrier, la mâchoire serrée.

- Tout le monde a faim, ici, sauf moi. Regarde ces chauveyas. Si je les nourrissais régulièrement, ils n'auraient plus de respect pour moi. Parce qu'ils ont constamment le ventre vide, même s'ils sont idiots, ils comprennent qu'ils doivent me respecter s'ils veulent se nourrir. Les rois qui règnent dans le Monde intermédiaire agissent ainsi : c'est par le ventre qu'ils peuvent asservir leurs sujets.

Tuumax fouilla dans un des sacs. Il en sortit un tibia et un pied tatoué qu'il tendit à Zenkà. Tuumax eut un sourire en coin.

- Les tatouages ne changent rien au goût, ne t'inquiète pas. C'est juste plus exotique.

Zenkà refusa d'un geste de la tête.

- Tu ne devrais pas lever le nez sur le cadeau que je t'offre. Quand tu étais là-haut et que tu avais faim, tu mangeais et ça passait. Et si tu n'avais pas mangé, tu serais mort. Ici, même si tu n'avales rien pendant cent quatre-vingts ans, tu ne mourras pas, puisque tu es déjà mort. Mais la douleur que cause l'estomac vide ne disparaîtra jamais. Au contraire, elle va empirer et tu ne pourras plus t'en débarrasser. Cette fois, je t'offre d'en être temporairement soulagé.

Mais c'est la dernière. Je ne t'apprends rien, j'espère ?

Zenkà n'avait qu'une envie, celle de faire payer à Tuumax son outrecuidance. Jamais il ne s'était laissé traiter de la sorte. Il n'avait pas le choix, les circonstances n'étaient pas à son avantage.

- Au fond, poursuivit Tuumax en rongeant les joues d'un crâne, la Vie n'est qu'un masque sur le visage de la Mort. Est-ce que tu aimes ce que je viens de dire ? C'est profond, n'est-ce pas ?

De la poussière tomba sur la tête de Zenkà. Le guerrier leva la tête, mais ne vit rien, car il faisait très sombre. Le Rêvé, qui était couché aux pieds de Tuumax, avait suivi le regard de Zenkà. Ses yeux s'écarquillèrent. Il se releva et pointa le plafond.

- Que se passe-t-il ? demanda le dieu des Cauchemars.

Le Rêvé émit une suite de balbutiements incompréhensibles.

Tuumax leva les yeux et repoussa la table.

- Eh bien! Je me demandais où tu étais passé. Que fais-tu là-haut? Viens nous rejoindre.

Zenkà, placé comme il l'était, ne voyait pas à qui Tuumax s'adressait.

Le dieu des Cauchemars prit le tibia et le pied que Zenkà avait refusés et les tendit dans les airs.

- Tu as faim? Ton ami n'a pas voulu de mon présent. Il va le regretter plus tard. Zenkà bougea la tête. Il vit des jambes.

- Zenkà! Courez!

Cette voix, c'était celle de Yanto. Zenkà n'eut pas le temps de se demander dans quelle direction il devait courir. Devant lui, dans un fracas indescriptible, une avalanche de roches provoqua la fuite des chauveyas. Tuumax bondit de sa chaise et disparut de sa vue tandis que Yanto venait vers lui.

- Suivez-moi!

Le visage de Laya était méconnaissable. Pakkal se souvenait d'avoir souvent admiré en secret les traits doux, la peau lisse et fraîche de la jeune fille, et ses lèvres pulpeuses. Il ne restait plus rien de la grande beauté qui la caractérisait : les lèvres mauves, le visage enflé et les yeux tuméfiés n'avaient plus rien de séduisant. Sous ses paupières entrouvertes, ses yeux étaient injectés de sang.

Pakkal prit délicatement dans ses mains le visage de la princesse :

- Oh, Laya, qu'est-ce qu'il t'a fait ?

Un rire se fit entendre, tout proche. C'était le crâne de Boox qui se moquait, faisant claquer ses dents et gloussant. Pakkal se releva péniblement en s'appuyant sur le bloc couvert de glyphes où reposait le crâne. Il eut tout juste le temps de retirer son doigt. Une seconde de plus et il y aurait laissé un bout de chair. L'horrible crâne continuait à rire et à tenter de lui mordre les doigts. Pakkal s'en empara et le lança au bas de la pyramide. La tête dériva et roula longuement sur la première marche avant de dévaler l'escalier et d'éclater en plusieurs morceaux.

À quelques mètres de là, Pak'Zil était aux prises avec le colosse à tête de hibou. Dans une maladroite tentative pour atteindre Buluc Chabtan, il avait perdu pied. Son adversaire en avait profité pour enserrer l'une de ses chevilles.

- Au revoir, siffla Boox.

Il se redressa, tenant la cheville de Pak'Zil et se mit à tourner sur lui-même en entraînant le scribe avec lui.

- Nooon! gémit Pak'Zil. Réglons nos différends en parlant!

Mais au lieu de tourner à toute vitesse, Boox se mit à ralentir. Il relâcha Pak'Zil et se couvrit la tête de ses mains, comme pris de douleur, au moment précis où Pakkal avait projeté le crâne au bas des marches du temple.

Pak'Zil fit un vol plané et atterrit en glissant sur une longueur de plusieurs mètres. Il tourna la tête pour voir où Boox en était dans son attaque. Il fut soulagé de constater que son adversaire était enfin immobile. Il ressentit une sensation de brûlure dans tout son corps et s'aperçut que ses bras et ses jambes étaient profondément entaillées. Avec précaution, il retira les fins éclats de roches qui s'étaient mêlés au sang de ses plaies.

- Jamais moyen de discuter, maugréa-t-il.

Avant que Boox ne sorte de sa torpeur, il reprit possession de la tête de Buluc Chabtan. Il allait pouvoir se défendre en cas d'une nouvelle attaque du chef des Gouverneurs. Il fourra sa main dans le sac et la retira aussitôt en poussant un cri aigu. Aussitôt, il s'assura que personne ne l'avait vu. C'était gluant !

- Dé-goû-tant !

Non loin de là, Pakkal tentait de ranimer la princesse Laya. Il l'avait retournée sur le dos et avait posé l'oreille sur sa poitrine pour s'assurer qu'elle était toujours vivante : oui, son cœur battait toujours. Mais elle avait visiblement du mal à respirer.

- Laya ? Tu m'entends ?

Aucun signe de la princesse ne vint le rassurer.

- Laya, c'est Pakkal. Fais-moi signe si tu m'entends.

L'index de sa main gauche bougea. Pakkal prit sa main dans la sienne.

- Recommence, fit le prince. Si tu m'entends, presse ma main.

Pakkal perçut une légère pression. Cette preuve que la princesse avait toute sa conscience le remplit de joie.

- Je suis si heureux que tu sois vivante. Ne t'inquiète pas, je suis là. Je vais te tirer de là. Je te le promets.

Pakkal croyait sincèrement qu'il pouvait la sauver, même s'il n'avait aucune idée de la manière dont il y parviendrait. Laya venait d'absorber tous les *sak nik nahal* qui rôdaient dans le Monde intermédiaire et que le crâne de Boox avaient maintenus captifs.

Si Boox disait vrai, elle allait accoucher d'une nouvelle race destinée à former la Cinquième création. Pakkal savait que ces êtres n'existeraient que pour massacrer les Mayas afin qu'ils disparaissent complètement du Monde intermédiaire. Le prince de Palenque ne voulait pas assister à ce génocide.

Laya fut prise d'une quinte de toux. Pakkal l'aida en la soulevant et en la maintenant sur le côté. Il vit une fumée noirâtre sortir de sa bouche, comme si de la braise s'était formée dans sa gorge.

Il recoucha Laya sur le dos, en prenant soin de poser sa tête délicatement sur le sol. Pakkal était désemparé, il se sentait impuissant et envahi d'une sourde colère. Il jeta un coup d'œil au bas des marches du temple. Boox, la tête entre les mains, semblait souffrir d'une violente migraine tandis que Pak'Zil tenait le sac en peau de tapir au bout de ses bras.

- Pak'Zil! cria Pakkal. Viens ici!

Le scribe obéit, tenant comiquement le sac le plus loin possible de son corps.

- Nom d'Itzamnà! fit-il lorsqu'il aperçut Laya. Que se passe-t-il avec la princesse?

- C'est la réponse que j'aurais aimé que tu me donnes. Je ne sais pas comment la soigner.

- Je n'ai aucune idée de ce qu'il faut faire. Peut-être lui faire boire de l'urine de chauve-souris?

Pakkal lança à son ami un regard consterné :

- Qu'est-ce que tu racontes ?

- Eh bien, c'était ce que me donnait ma grand-mère quand je ne me sentais pas bien. J'y ai goûté une seule fois et je vous jure que lorsqu'elle me menaçait de ce traitement, je me sentais mieux, comme par magie.

- Ce n'est pas le moment de partir à la chasse aux chauves-souris. Il faut agir maintenant.

Les deux amis sursautèrent en entendant Boox pousser un long hululement. Il était maintenant à genoux et sa tête semblait le faire terriblement souffrir.

- Tu lui as fait quoi ? demanda Pakkal.

- Aucune idée. Il allait me projeter jusqu'à Palenque quand il m'a brusquement relâché.

- Je me demande s'il n'y a pas un lien avec le crâne que j'ai lancé dans les marches…

Laya se fit soudain plus agitée et sa respiration plus rapide.

Pak'Zil recula brusquement.

- Ne crains rien, fit Pakkal, elle ne va pas te mordre.

- On ne sait jamais, rétorqua Pak'Zil, qui repoussa la tête de Buluc Chabtan pour chasser ses nausées.

Pakkal, pour tenter de calmer Laya, posa une main sur son front.

- Ne t'inquiète pas, Laya, je suis là.

Mais ses paroles eurent un effet contraire. Elle était de plus en plus agitée et des hurlements sortirent bientôt de sa bouche.

Pakkal n'arrivait plus à entrer en contact avec elle. Plus il lui parlait calmement, plus son agitation croissait.

La princesse se releva, se pliant en deux et se tenant le ventre. C'est de là que semblait provenir son mal.

- Que se passe-t-il ? demanda Pak'Zil.

Pakkal caressa les cheveux de la princesse.

- Je crois qu'elle va bientôt accoucher.

Zenkà profita du remue-ménage qu'avait provoqué l'éboulement pour s'enfuir avec Yanto. Ils coururent pendant un bon moment jusqu'à ce qu'ils trouvent un endroit sécuritaire. Les minutes de silence qui suivirent leur apportèrent le soulagement : ils étaient parvenus à semer leurs ennemis. Il n'y avait plus un seul chauveyas à l'horizon.

Après avoir repris son souffle, Yanto demanda :

- Que s'est-il passé avec votre corps ? Vous êtes... transfiguré.

- C'est Tuumax qui m'a fait ce cadeau.

- Il n'y a jamais de cadeau, ici !

- Qui sait ? Si vous étiez d'une grande gentillesse avec lui, il accepterait peut-être de restaurer votre corps comme il l'a fait avec le mien.

- Ça reste à prouver. Cet être ne veut du bien à personne d'autre qu'à lui-même.

- Je sais. Il m'a fait continuellement des menaces. J'ignore ce qu'il avait l'intention de faire de moi, mais ça ne semblait vraiment pas agréable. J'étais devenu son jouet. Merci de m'avoir sauvé.

- Je vous ai suivi de loin et j'ai attendu que vous soyez dans une position favorable pour vous libérer. Les murs s'effritent facilement ici, il m'a suffi de m'emparer d'un stalagmite et de m'en servir pour percer des trous dans des endroits stratégiques. Je ne croyais pas que cela allait créer un si gros éboulement, cependant.

- Eh bien, ce fut réussi. Vous savez ce qu'il voulait faire de moi?

- Aucune idée. Je doute cependant que cela aurait été amusant pour vous, même s'il prétendait vouloir « jouer » avec vous.

- À bien y penser, j'aime autant ne pas le savoir. Ah oui, c'est le Rêvé que j'ai tenté de protéger qui m'a plongé dans un si grand pétrin. Il semble avoir une relation trouble avec Tuumax.

- Trouble?

- En fait, il le craint et, en même temps, il semble l'aimer. Il lui est complètement soumis.

Yanto prit quelques instants pour réfléchir.

- C'est ici que les cauchemars sont créés. Je n'en ai jamais eu la certitude, mais je crois que c'est Tuumax qui les met en scène. Peut-être voulait-il vous transformer aussi en Rêvé et vous soumettre à ses caprices créatifs ?

- Si c'est le cas, je l'ai échappé belle. À présent, il faut trouver un moyen de sortir d'ici. Il doit y en avoir un. Il *faut* qu'il y en ait un.

D'un geste qui lui était habituel, Yanto lissa les quelques cheveux qui lui restaient sur le crâne.

- Je suis ici depuis assez longtemps, je vous le répète : s'il y avait une manière de fuir, je le saurais.

Zenkà fit un signe de la main, invitant son camarade à se taire. Il chuchota :

- J'ai cru entendre du bruit, je pense qu'on vient de notre côté.

Ils s'accroupirent derrière des rochers et aperçurent immédiatement des chauveyas qui survolaient les lieux. Ils se glissèrent dans une cavité formée par deux rochers appuyés l'un sur l'autre, dérangeant ainsi une bête qui avait fait de ce lieu sa tanière. De la grosseur d'un chien moyen, elle n'avait pas de poils, mais un museau long et effilé. Elle tenta une attaque en se servant de ses pattes griffues, mais s'apercevant qu'elle n'allait pas pouvoir repousser les intrus, elle prit la fuite. Zenkà observa son avant-bras :

- Elle m'a blessé, chuchota-t-il.

- Dommage pour votre nouvelle peau. On ne reste pas longtemps indemne, ici.

Tous deux demeurèrent immobiles, épiant les chauveyas qui s'étaient mis à fouiller les alentours.

- Vous croyez qu'ils nous cherchent ? demanda le guerrier.

- Oui, fit Yanto.

Des ailes de chauves-souris géantes apparurent. Les bêtes n'étaient qu'à un bras de distance des fugitifs. Il était clair qu'elles avaient perçu leur présence. Zenkà retint son souffle : il craignait que leurs projets d'évasion ne soient anéantis. Encore et toujours il entretenait l'espoir de quitter ces lieux infects.

Les chauveyas, après s'être tenus immobiles pendant un long moment, s'envolèrent enfin. Mais Zenkà n'arrivait pas à se détendre, ses membres étaient aussi raides que des lances. Il demanda à Yanto :

- Vous croyez qu'ils y sont encore ?

- Je pense qu'ils sont partis.

- Je vais sortir pour vérifier.

Yanto le retint par le bras.

- Ils sont peut-être suspendus au plafond. Vous savez à quel point ils sont patients. Restons ici encore un peu.

S'il avait été dans le Monde intermédiaire, Zenkà en aurait profité pour dormir. L'endroit était peu douillet, mais le guerrier aurait pu s'en accommoder. Il pouvait dormir n'importe où. Son grand-père avait l'habitude de dire que même dans un nid de scorpions, il pouvait fermer l'œil. Or, depuis qu'il était à Xibalbà, il n'avait pas dormi une seule heure. Il avait essayé, en vain. Un autre irritant. Il se dit que la première chose qu'il ferait lorsqu'il remettrait les pieds dans le Monde intermédiaire serait une sieste, même si elle devait durer trois jours et trois nuits.

En parlant le moins fort possible, Yanto demanda à Zenkà :

- Dans votre village, quand vous étiez enfant, est-ce qu'on vous a déjà raconté la légende du Portail des rêves ?

Des légendes, Zenkà en avait entendu des centaines dans son existence.

- Non, ça ne me dit rien.

- Je vais vous la raconter. Un matin après que j'eus rêvé que je savais voler comme un quetzal, j'avais dit à mon père que je trouvais dommage qu'on ne puisse pas réaliser ce qu'on vivait dans ses rêves. Lorsqu'on ouvre les yeux, toute la magie de la nuit disparaît. Cela m'attristait. C'est probablement pour cette raison que je suis devenu marchand de plumes de quetzal, à cause de ce fantasme jamais résolu.

Yanto se retourna pour adopter une position plus confortable.

- Mon père m'a regardé d'un air grave et il m'a dit qu'il avait connu des jours meilleurs où il était possible de transformer ses rêves en réalité. Mais ce n'était plus possible, c'était devenu trop dangereux. Il fallait que les rêves restent des rêves. Que l'on rêve pour s'évader, pas pour en devenir prisonnier. J'étais jeune, je devais avoir huit ou neuf ans, je venais de commencer ma collection de plumes, je m'en rappelle très bien. Cet endroit m'a au moins laissé mes souvenirs pour me désennuyer.

Yanto fit une pause, persuadé d'avoir entendu un bruit menaçant. Son imagination lui jouait des tours.

- Il m'a raconté alors une histoire incroyable qui m'a marqué pour le reste de ma vie. Vous voulez l'entendre ?

- Désolé, je suis trop occupé, présentement.

Yanto ne comprit pas, sur le coup, le sarcasme du guerrier de Kutilon. Lorsqu'il vit son sourire, il sourit à son tour.

- Je suis heureux d'être avec vous. L'éternité me semblera moins longue.

Zenkà ne sut que répondre. Yanto poursuivit donc son histoire avant que le malaise ne prenne trop de place.

- Au cours de ma vie, j'ai visité des centaines de villes et de villages où j'ai entendu des milliers de légendes, mais celle du Portail des rêves est la plus extraordinaire qu'il m'ait été donné d'entendre.

- Accoucher? Vous voulez dire qu'elle va... mettre au monde des enfants?

Pak'Zil regardait Laya comme si elle allait exploser.

- Il n'y a qu'une forme d'accouchement et c'est celle-là. Tu en connais une autre?

- Non... Euh, je ne suis pas prêt à vivre ça. Pas maintenant. Il y a un bébé qui va sortir de son nombril? Là, ici? C'est bien ça?

Malgré son jeune âge et le tabou qui entourait la naissance des enfants, Pakkal savait comment les enfants venaient au monde. Il n'avait jamais assisté à un accouchement, mais il en avait entendu parler. Maître Xantac, le scribe qui avait été chargé de le former, le lui avait expliqué, sans toutefois entrer dans les détails. Ce savoir réduisait l'angoisse qui le tenaillait depuis qu'il avait entendu des hurlements dans la Forêt rieuse. Une femme avait alors hurlé avec une force inquiétante. Il s'était approché de la hutte d'où provenaient les cris. Paniqué, croyant qu'une femme était aux prises avec un assaillant, il avait couru chercher de l'aide. Il avait alerté les soldats royaux et une dizaine l'avaient suivi jusqu'à la hutte. En pénétrant dans la petite maison, il avait constaté que non seulement la femme n'était pas en détresse, mais qu'elle souriait en allaitant son enfant. On lui expliqua que c'était un événement heureux. À douze ans, Pakkal ne comprenait toujours pas pourquoi un événement aussi réjouissant que la naissance d'un enfant pouvait provoquer autant de souffrances.

Ça n'allait cependant pas être le cas avec Laya. Hélas, rien de positif ne mettrait fin à son supplice !

Pak'Zil pointa Laya du doigt.

- Maître Pakkal, regardez !

Laya avait posé ses mains sur son ventre qui prenait de l'ampleur à vue d'œil. Un être se développait en elle, peut-être plusieurs, et on pouvait presque le voir se former. Il était évident que Laya allait accoucher dans peu de temps. Trop peu de temps pour trouver une manière de l'aider dans cette épreuve.

À quelques mètres de là, le chef des Gouverneurs, toujours aux prises avec un mal de tête insupportable, se sentait comme si on lui enfonçait un pieu dans chaque oreille et que leurs pointes s'étaient rejointes dans le milieu de son crâne. La douleur était si violente qu'un long flash rouge apparut devant ses yeux tandis qu'il perdait tout contact avec son environnement.

Il ignorait combien de temps il lui avait fallu pour contrôler la douleur, mais lorsqu'il émergea de son état, il était désorienté et ne savait ni où il était ni ce qu'il faisait au pied de ce temple maya. Puis, sa souffrance se faisant plus diffuse, il reprit ses esprits et comprit ce qui venait de se produire. Son crâne gisait en plusieurs morceaux le long de l'escalier qui menait au temple. Il leva les yeux. Au sommet de la pyramide, il vit le prince aux six orteils et le scribe qui avait été autrefois un chauveyas géant. Que faisaient-ils là-haut? Sa mémoire lui faisait défaut. Il ne voyait plus la princesse Laya, mais l'entendait. Il crut qu'il s'agissait d'un autre de ces stupides animaux qui pullulaient dans le Monde intermédiaire en gémissant pour rien.

Il s'avança jusqu'aux marches et entreprit de ramasser les morceaux de crâne qu'il glissa les uns après les autres dans la poche de son pagne. Pourquoi son crâne était-il là ? N'était-ce pas Ah Puch qui l'avait eu en sa possession ? Il ne s'en rappelait pas.

Toutefois, chaque éclat qu'il ramassait lui ramenait un événement en mémoire. De sorte que lorsqu'il eut rassemblé tous les morceaux du crâne, y compris les dents pourries, son mal de tête avait disparu. Ces souvenirs retrouvés l'emplirent d'une monumentale colère. Il comprit que Pakkal et son compagnon étaient parvenus à interrompre le processus de transfert des *sak nik nahal* dans le corps de la princesse aux cheveux d'or.

Ça n'allait pas se passer ainsi. Il n'allait pas laisser ces deux vermisseaux l'empêcher d'atteindre le but qu'il s'était fixé. Ils allaient se rendre compte de toute l'étendue de sa colère et de ses funestes conséquences.

Les cris de Laya s'étaient encore amplifiés et donnaient l'impression qu'on lui déchirait les entrailles, ce qui n'était pas loin de la vérité. Pakkal tentait de la réconforter, mais il ne pouvait que constater l'inutilité de ses paroles.

- Elle ne peut pas continuer de la sorte, dit Pak'Zil. Elle va mourir.

Chaque cri de la princesse entraînait une expulsion de fumée noire. Pakkal se dit que cette fumée devait avoir un lien avec le douloureux processus dans lequel la jeune fille était engagée. Une idée lui traversa l'esprit. Il doutait de son efficacité, mais comme c'était la seule qui avait germé, il se résolut à la mettre en œuvre.

Fermement mais sans rudesse, il plaqua le visage de Laya au sol et l'immobilisa. Puis il s'approcha d'elle, ouvrit la bouche et l'appliqua sur celle de la princesse.

- Prince Pakkal, fit Pak'Zil, les yeux ronds comme des balles de *pok-a-tok*, ce n'est pas le moment de l'embrasser... Puis comprenant qu'il s'était trompé sur les intentions du prince de Palenque, Pak'Zil contempla le couple en silence. Pakkal avait entrepris d'aspirer la fumée que la bouche de Laya expulsait. Son geste n'avait rien de sensuel, les lèvres de la princesse étaient rigides et sèches.

Dès que Pakkal eut aspiré une première goulée, il fut pris d'une quinte de toux. Sa gorge était brûlante, comme soumise à l'assaut de milliers d'abeilles en furie. Pakkal crut qu'il allait cracher ses poumons. Il décrocha sa gourde d'eau et en but une longue lampée.

- Elle se calme, dit Pak'Zil, pendant que son camarade tentait de reprendre son souffle.

Était-ce un hasard ? Cela fonctionnait-il vraiment ? Même s'il ignorait la réponse à ces questions, bien que la sensation fût fort désagréable, Pakkal se remit à l'œuvre. Mais cette fois, en aspirant l'air de Laya, il ne put détacher ses lèvres de celles de la princesse : elles s'y étaient soudées. Et la fumée n'était plus aspirée par son corps, elle suivait son propre rythme et le pénétrait de force. Il l'imaginait en train de descendre dans son œsophage sans qu'il ne puisse réagir. Il ne fallait pas que cette fumée noire s'empare de lui. Le plan de départ était qu'il la retire peu à peu du corps de Laya, puis qu'il la rejette. Ne parvenant plus à respirer, la panique s'empara de lui. Il essaya de repousser le visage de Laya, mais c'était impossible.

Pak'Zil observait la scène avec un étonnement mêlé d'impuissance. Le ventre de Laya rapetissait et la chose qui s'était emparée d'elle semblait se déplacer dans le corps de Pakkal. Son ami avait donc réussi à lui venir en aide, mais en déplaçant le problème. Il le vit frapper le sol du poing, ses yeux exorbités, remplis de colère ou de peur.

Pak'Zil s'empara de la tête du prince et la tira vers lui. Mais rien ne réussissait à séparer le prince de la princesse, leurs lèvres étaient soudées.

La vue de Pakkal s'embrouilla et des étoiles scintillantes apparurent. Ses paupières s'alourdirent, il les ferma et perdit connaissance. Le scribe s'aperçut que Pakkal n'avait plus de tonus et qu'il sombrait lentement dans l'inconscience. Son visage congestionné avait bleui, des veines se gonflaient sur ses tempes.

Une voix tira Pak'Zil de sa torpeur.

- Vous... êtes... morts !

Il se retourna : c'était Boox.

La légende du Portail des rêves avait pris naissance dans le village où habitait Yanto jadis. Depuis des générations, on se la racontait pour se persuader qu'il est préférable que les rêves demeurent là où ils ont été créés.

Il y a longtemps, alors que les premiers temples mayas étaient érigés pour permettre aux rois de parler au creux de l'oreille des dieux, un homme surnommé Lutz était convaincu qu'il était possible de devenir riche en travaillant le moins possible. Lutz, qui signifie « paresseux », n'était pas le prénom que ses parents avaient donné au garçon à la naissance, mais c'est le seul que ses proches utilisaient pour le désigner. Toute sa famille avait même oublié quel était son véritable prénom.

Dès son plus jeune âge, il avait montré des signes inquiétants de fainéantise. Il trouvait toujours une excuse pour refuser des tâches où il fallait déployer un minimum d'efforts, par exemple aller chercher de l'eau à la rivière ou remplacer la paille sur le toit de la hutte familiale. Son père et sa mère insistaient pourtant, le rudoyaient parfois, mais rien n'y faisait, il passait ses journées dans son hamac à dormir et à rêvasser.

Les Mayas qui cultivaient les champs étaient entraînés au travail très jeunes. Dès qu'ils étaient en âge de jouer, on leur assignait des tâches. Puisqu'ils devraient travailler la terre toute leur vie durant, plus vite ils allaient se mettre au boulot, plus vite ils pourraient contribuer à nourrir leurs proches. Selon les croyances des Mayas, la nourriture que les dieux leur donnaient servait non seulement à nourrir la famille, mais également à effectuer le troc, lequel était primordial pour leur survivance. Personne ou presque ne rechignait : leur existence était ainsi faite.

Lutz avait maintenant quatorze ans et il était obèse. On appela le médecin du village à son chevet. Le diagnostic fut sans appel : tout comme son surnom l'indiquait, il était affligé de la maladie de la paresse.

- J'ai déjà vu des cas comme celui-là dans ma carrière, dit le praticien aux parents, qui s'étaient attendus à la prescription d'une potion quelconque capable de le guérir. Je dois avouer cependant que le cas de votre fils est grave. Il a refusé d'ouvrir les yeux quand je le lui ai demandé.

La mère, que l'indolence de son fils empêchait de dormir depuis des mois, demanda :

- Que nous suggérez-vous ?

- Il n'y a qu'une solution et elle est radicale : votre fils doit apprendre à survivre.

- Survivre ? répéta le père.

- Abandonnez-le dans la forêt. Il devra se débrouiller ou il mourra.

Ce que le père fit, malgré les protestations de la mère. Aidé de trois de ses fils, tôt un matin, il transporta Lutz loin de la maison, dans son hamac. Comme le garçon ne s'était pas réveillé, personne n'eut à lui faire ses adieux. Son père lui laissa seulement un couteau d'obsidienne.

Après quelques semaines pendant lesquelles ils n'eurent aucune nouvelle de lui, tous furent persuadés qu'il était mort. Sa mère, inconsolable, alla trouver le prêtre afin qu'il intercède auprès des dieux pour qu'on ne le maltraite pas à Xibalbà.

Mais un soir, Lutz fit son apparition, maigre comme une tige de maïs et la peau couverte d'égratignures, mais vivant. Sa mère explosa de joie et on donna une grande fête pour célébrer sa guérison. On songea même à lui trouver un autre nom.

Lutz dormit durant les sept jours suivants. Et au grand dam de sa famille, il reprit ses mauvaises habitudes. Lutz regagna tout le poids qu'il avait perdu et devint encore plus gras. Cela dura jusqu'à ses dix-neuf ans. Sa mère, qui s'en était voulu de lui avoir fait subir une épreuve, mourut des suites d'une blessure mal soignée qu'elle s'était infligée en travaillant aux champs. La plaie s'était infectée et avait contaminé son sang.

Les sept frères de Lutz partaient travailler au lever du soleil, ne rentrant à la maison que lorsque la lune émergeait de Xibalbà. Ils ne toléraient pas la paresse de Lutz, pas plus que leur père. Ils ne lui offrirent plus de nourriture et lorsqu'il avait soif, ils lui interdirent de se servir dans la réserve. Lutz devait lui-même se rendre à la rivière, ce qui représentait pour un Maya de son poids l'équivalent d'une journée de marche. N'étant plus protégé par sa mère, le fainéant chercha de nouveaux moyens pour pratiquer la paresse. Il en trouva un.

Il réunit ses frères et leur affirma que dans un rêve, on lui avait indiqué la manière de devenir riche en travaillant le moins possible. Il suffirait à qui le voulait de construire le Portail des rêves, lieu où tout ce qui se passait dans l'esprit durant le sommeil pouvait ensuite se matérialiser. Il persuada ses frères de laisser tomber leur travail aux champs pour se consacrer à la construction de ce monument. Lutz avait omis un détail important dans son récit : il n'avait pas dit que ce rêve avait été un affreux cauchemar et que celui qui lui avait ordonné de construire ce portail était Tuumax lui-même, dieu des Cauchemars. En échange, il lui avait offert des centaines de pièces de jade. Mais s'il ne lui obéissait pas, il s'exposerait à une suite ininterrompue de rêves cruels plus vrais que nature.

Tuumax avait fourni des données bien précises concernant le site où le Portail devrait se trouver. Il s'agissait d'une petite île située au confluent de deux rivières. Pour trouver les lieux, Tuumax avait offert à Lutz la compagnie d'un jaguar chargé de lui indiquer le chemin.

Persuadé qu'il s'agissait d'une arnaque, le père refusa de suivre ses enfants. Il savait que pour réussir, il fallait travailler dur et qu'aucun raccourci ne pourrait leur accorder la richesse. Mais ses fils préférèrent se fier aux dires de Lutz.

Au début, tout ce passa bien. Dès qu'ils sortirent du village, un jaguar les attendait et les accompagna dans leur marche. Vingt jours plus tard, ils arrivèrent à destination. Ils ne considérèrent pas comme un mauvais présage le fait que le jaguar dévora un des frères avant de disparaître dans la nature.

Il leur fallut quelques jours pour construire le monument. À l'aide de pierres, d'argile et de mortier, ils érigèrent une arche qu'ils dressèrent sur quatre piliers. La construction achevée, Lutz alla dormir sous le portail. Le lendemain, il était entouré de nombreuses pièces de jade valant une fortune. Toutefois, pendant son sommeil, des êtres cruels venus du Monde inférieur s'étaient matérialisés et n'avaient laissé aucune chance aux frères de Lutz : tous avaient été dévorés.

Tuumax ordonna à Lutz de dormir une autre fois sous le Portail des rêves afin de permettre à plus de créatures de guerre — des chauveyas et des emperators — d'atteindre le Monde intermédiaire.

Constatant le carnage qu'il avait engendré, Lutz refusa. Il s'empressa de se remplir les poches de pièces de jade et retourna au village. Il voulait montrer à son père qu'il était possible de devenir riche en travaillant très peu.

Il traversa la rivière et prit le chemin du retour. Mais en route, il fit la rencontre du jaguar qui lui avait servi de guide. Convaincu qu'il était là pour lui montrer la route, Lutz lui fit confiance. Une heure plus tard, le jaguar l'avait dévoré, avalant avec lui les pièces de jade.

Quelques mois plus tard, un vieux chasseur que ses proches incitaient à la retraite parvint à tuer le jaguar. Lorsqu'il dépeça l'animal pour nourrir sa famille, il découvrit le butin et devint riche. Il raconta alors à qui voulait l'entendre que plus on met de cœur à l'ouvrage, plus grandes sont les chances de devenir prospère.

En apercevant Boox, Pak'Zil se plaça courageusement devant Laya et Pakkal pour les protéger. Dans un geste apaisant, il leva les mains, tentative désespérée pour calmer la fureur du chef des Gouverneurs.

- Ce n'est pas ce que vous pensez. Ils ne sont pas amoureux. C'est un malentendu.

Boox, rempli de rage contenue, approcha lentement du jeune scribe, les poings serrés.

- Je ne veux pas me battre, je vous assure, dit-il. La violence ne mène à rien. Regardez, j'ai déjà perdu une dent. Est-ce que ça a servi à quelque chose ? Non.

Boox n'écoutait pas les propos du jeune scribe. La seule personne qui semblait l'intéresser, c'était Pakkal. Il empoigna Pak'Zil par le cou et le repoussa, comme s'il s'agissait d'un vulgaire rebut. Le scribe fit quelques roulades et s'en tira avec plusieurs égratignures. Il se releva aussitôt et instinctivement, se rapprocha du couple.

Le chef des Gouverneurs se pencha et agrippa Pakkal par sa ceinture pour l'éloigner de la princesse. Pak'Zil sauta sur son dos et le cribla de coups. Ses tentatives ne firent aucun mal à Boox, mais elles eurent l'effet escompté : le colosse finit par lâcher Pakkal pour s'occuper du parasite sur son dos.

Il s'empara de la tête de Pak'Zil et fit passer son corps par-dessus son épaule. Lorsque son dos s'abattit sur le sol, Pak'Zil entendit un craquement. Boox mit un pied sur sa gorge et appuya. Il courba vers lui sa tête de hibou, ouvrit son bec acéré et laissa échapper un hululement. À l'aide des ses deux mains, Pak'Zil tenta de repousser le pied.

- P... P... Parlons ! parvint-il à balbutier.

L'air entrait difficilement dans ses poumons, il avait du mal à respirer. S'il lâchait le pied de Boox, son cou allait être broyé sur-le-champ. Sa vue s'embrouilla et les sons qu'ils percevaient devinrent confus. Il perdit peu à peu conscience.

Mais quelque chose avait changé du côté de Pakkal : Boox remarqua que sa bouche n'était plus sur celle de Laya. Se désintéressant brusquement de Pak'Zil, il s'empara de l'armure du prince pour le soulever dans les airs. Le corps du jeune garçon était inerte, ses yeux étaient mi-clos et une fumée noire sortait de sa bouche.

- Saleté de Maya, cracha Boox en le secouant. Je vais te faire connaître un sort pire que la mort.

Après quelques instants où son esprit avait été plongé dans le noir, Pak'Zil revint à lui. Il prit une profonde inspiration, se frotta la peau du cou et, après que les moments de confusion se furent évanouis, il se souvint où il était. Il se retourna et vit que Boox tenait le corps de son ami au bout de ses bras. Il s'empara du sac en peau de tapir. Lorsqu'il reporta son attention sur le chef des Gouverneurs, il semblait lui dévorer les yeux.

- Non !

Pak'Zil sortit la tête de Buluc Chabtan du sac et l'exhiba. Boox se retourna. Dès qu'il l'aperçut, il laissa immédiatement retomber le corps de Pakkal, se recroquevilla et se couvrit les yeux.

Pak'Zil vit que le prince était toujours inconscient. Il respirait, quoique difficilement. Et de la fumée noire continuait de sortir de sa bouche. Mais quand il s'approcha, le scribe vit avec horreur que ses yeux étaient deux cavités sanguinolentes.

- Prince Pakkal, fit Pak'Zil. Qu'est-ce qu'il vous a fait?

Il se retourna vers Boox et s'efforçant d'exhiber la tête de Buluc Chabtan de manière qu'il ne puisse échapper à sa vue, il cria:

- Qu'est-ce que vous lui avez fait?

Un bruit vint interrompre la fureur de Pak'Zil. Au bas de la pyramide se tenait une créature squelettique portant au cou un collier de clochettes. Elle avait à la main une crosse surmontée d'un anneau, symbole de sa puissance. Le scribe, terrifié, n'eut aucun mal à reconnaître Ah Puch, le dieu de la Mort, seigneur de Mitnal.

- Nom d'Itzamnà, fit-il.

Il se mit à trembler au point où ses jambes eurent du mal à le soutenir.

Un chauveyas atterrit lourdement aux côtés du dieu de la Mort. Il semblait d'un rang supérieur à ses congénères, il portait un pagne brodé et sa tête était surmontée d'une somptueuse coiffure de plumes. C'était Cama Zotz, chef de l'armée de Xibalbà. Dès qu'il posa le regard sur ce que Pak'Zil avait dans les mains, effrayé, il s'enroula dans ses ailes.

Ah Puch fixait intensément Pak'Zil, lequel s'était assis, la tête de Buluc Chabtan entre les jambes. Il venait de comprendre que posséder la tête du frère du dieu de la Mort n'était pas la meilleure manière de se faire des amis à Xibalbà. Il tenta de la remettre dans le sac, mais ses mains tremblaient tant qu'il n'y parvint pas.

Ah Puch se servit de sa crosse comme d'une canne pour gravir les marches du temple. Son ascension était pénible, il montait avec une infinie lenteur, s'arrêtant longuement sur chaque marche. Il semblait d'une extrême fragilité. La manière dont les os noircis de son squelette parvenaient à rester rassemblés sur le peu de chair calcinée qu'il lui restait était un vrai mystère.

Le jeune scribe n'osait pas regarder où Ah Puch en était dans son ascension. La peur qu'il ressentait était si intense que tous ses muscles étaient paralysés. Ah Puch était le premier dieu, bien avant tous ceux du panthéon maya, qu'on présentait aux jeunes hommes qui allaient devenir scribes. Le glyphe qui le représentait était le premier qu'on apprenait à reconnaître et à graver. Le père de Pak'Zil lui avait narré des histoires épouvantables dont le personnage principal était le seigneur de Mitnal. Des drames remplis de cruauté, de sang et de souffrance. Pak'Zil en avait fait des cauchemars et encore maintenant, il lui arrivait de se réveiller en plein milieu de la nuit en croyant que Ah Puch était à ses trousses.

Le jeune scribe ne comprenait pas que des jeunes hommes aillent à la guerre avec l'intention d'y mourir pour l'honneur et la gloire. Pour y échapper, il avait déjà préparé un breuvage pouvant lui donner l'immortalité, selon une recette trouvée dans la hutte d'un vieux fou. Or, non seulement il n'était pas devenu immortel, mais il avait souffert de douloureuses coliques et de diarrhées explosives qui avaient fait l'objet de plusieurs blagues de mauvais goût dans la cité de Toninà.

Le Ah Puch que Pak'Zil craignait tant gravissait les dernières marches, il avait même échangé un regard avec lui. Et il se rapprochait.

Pak'Zil savait très bien ce que cela voulait dire : rencontrer Ah Puch signifiait que son voyage allait se poursuivre à Xibalbà. Sa mort était imminente. Terrifié, il ferma les yeux.

Lorsqu'il les rouvrit, Ah Puch était à ses côtés. Et il lui tendait les bras.

Allongé inconfortablement entre deux rochers, Zenkà avait écouté avec attention l'histoire du Portail des rêves que Yanto lui avait racontée. Dès que la possibilité qu'un rêve se matérialise avait été évoquée, il s'était dit que son rêve à lui était de pouvoir sortir de ces infâmes lieux et qu'il allait le réaliser.

Oubliant que leurs poursuivants pourraient les entendre, il haussa le ton.

- Pourquoi ne pas m'en avoir parlé avant ? C'est de cette façon que nous allons nous tirer de cet enfer !

Yanto lui fit signe de parler moins fort.

- Non, non. C'est seulement une histoire qu'on raconte aux enfants paresseux.

- Et si c'était vrai ? demande Zenkà avec enthousiasme.

Yanto n'aimait pas la manière dont le guerrier réagissait.

- Ce ne l'est pas. Je ne vous ai pas raconté cette légende pour vous donner de faux espoirs, bien au contraire.

- Il n'y a pas de faux espoirs. Pas ici. Toutes les options sont à considérer.

Yanto s'en voulait d'avoir fait ce récit. Au cours de son enfance, il y avait cru. Mais en prenant de l'âge, il s'était rendu compte que ce n'était qu'une légende. D'ailleurs, il existait plusieurs versions dans lesquelles les protagonistes portaient des noms différents et les raisons pour atteindre le Portail des rêves n'étaient jamais les mêmes.

Le paresseux était parfois une paresseuse, le jaguar un ours. Mais dans toutes les versions, la morale était la même.

Yanto avait peu à peu cessé de croire en l'existence du Portail des rêves. Il avait compris que s'il voulait réaliser un rêve, par exemple avoir du succès dans ses entreprises, le seul moyen d'y parvenir était de faire ce qu'il fallait, en l'occurrence de travailler.

Zenkà, bien qu'il fût un adulte, n'avait pas compris le message de cette parabole vantant les mérites de l'effort et du travail. Devant son increvable optimisme, Yanto se retint de jouer les rabat-joie.

- C'est vrai, vous avez raison. Le Portail des rêves existe peut-être. Dans chaque légende il y a un fond de vérité.

- Il existe, fit Zenkà en essayant de voir si la voie était libre. Vous croyez qu'on peut jeter un coup d'œil sans risquer de tomber nez à nez avec un de ces épouvantails volants ?

- Sûrement, fit Yanto.

Avec précaution, Zenkà émergea de leur cachette, tourna la tête à gauche et à droite. Rien. Puis il leva les yeux. Le plafond était recouvert de chauveyas en état de sommeil, suspendus par les pieds et les ailes repliées sur le corps.

Yanto suivit le regard de son camarade.

- Je n'en ai jamais vu autant, siffla-t-il.

- C'est bon ou mauvais signe ? demanda Zenkà.

- C'est bon signe.

La voix n'était pas celle de Yanto. Elle venait de plus haut, d'au-dessus du rocher qui les avait dissimulés pendant ce temps. Avant qu'il puisse savoir de qui il s'agissait, deux mains puissantes l'empoignèrent par le cou et le hissèrent violemment. Puis Zenkà fut rabattu sans ménagement sur le sol. Le visage de Tuumax était devant lui, affichant un sourire goguenard.

- Tu as cru que tu allais t'en sortir ? Vraiment ? Tu croyais que tu allais pouvoir te cacher dans mon domaine ? Ton ami pense qu'il peut m'éviter et me fuir, mais ce n'est qu'une impression. Je le laisse seulement gagner pour qu'il ne se décourage pas.

Tuumax relâcha sa prise et tendit la main à Zenkà pour qu'il puisse se remettre debout. Le guerrier la refusa et se releva sans son aide.

Tuumax observa le corps de Zenkà.

- Qu'est-ce que je pourrais bien faire pour t'empêcher de t'enfuir de nouveau ?

Le dieu des Cauchemars trouva lui-même la réponse à sa question, il asséna à Zenkà un puissant coup de poing au ventre, qui le fit se plier de douleur. Ensuite, à l'aide d'un croc-en-jambe, il le fit tomber, s'empara de l'un de ses pieds et l'arracha d'un coup sec, aussi facilement que s'il avait détaché un épi de maïs de sa tige. Zenkà hurla de douleur.

- Arrête de te plaindre, dit Tuumax. Ce n'est qu'un pied. Je te le remettrai plus tard. Je veux juste m'assurer que tu ne me feras pas faux bond une autre fois.

Le dieu baissa la tête.

- Ton ami est là-dessous, n'est-ce pas ?

Zenkà ne répondit pas.

- Je sais qu'il est là. Son nom, rappelle-le-moi.

Zenkà demeura silencieux.

- Tu boudes ? Comme c'est mignon ! Yanto, sors de ton trou. Je sais que tu es là !

Yanto apparut, l'air ombrageux.

- Fuis, lui ordonna Tuumax.

Yanto ne bougea pas.

- Je te laisse partir, poursuivit le dieu des Cauchemars. J'aime te chasser et je compte continuer, même si tu as tué plusieurs de mes suiveurs. J'aime que tu me résistes. Ça ajoute du piquant à notre relation.

Le marchand de plumes fit non de la tête et ajouta.

- Je ne partirai pas sans Zenkà.

Tuumax se frappa la poitrine et dit à Zenkà :

- Tu as entendu ça ? C'est touchant ! Il n'y a pas beaucoup de solidarité, ici.

Tuumax fit disparaître le sourire narquois de ses lèvres, leva le bras et le pointa devant lui.

- Va-t'en !

Yanto resta sur place.

- Heureusement que tu es un de mes passe-temps préférés, sinon il y a longtemps que tu aurais usé ma patience. Tu déguerpis, sinon je te réserve un sort pire que celui que tu as présentement. Pire que celui de Zenkà. Je ne peux pas te faire mourir une seconde fois, mais je te rappelle que je peux te faire souffrir.

Il lança le pied de Zenkà dans sa direction. Yanto l'attrapa et le regarda. Il eut un moment d'hésitation. Une chance comme celle-là n'allait plus jamais se représenter. Un dieu du Monde inférieur lui permettait de se dérober. En contrepartie, il ne pouvait pas laisser Zenkà entre ses mains, il fallait essayer de le tirer de ce pétrin. Il regarda le guerrier de Kutilon et dit :

- Libérez-le et je m'en irai.

Tuumax, lentement, secoua la tête, mimant la déception.

- Voilà ce que ça donne d'être gentil : de l'ingratitude. On ne m'y reprendra plus, j'ai eu ma leçon.

Aussitôt, le dieu des Cauchemars émit de curieux sifflements.

Les chauveyas suspendus au plafond se mirent à remuer, puis les uns après les autres, ils s'envolèrent et atterrirent aux côtés de Tuumax. Levant le menton, d'un air de dédain, leur maître ordonna :

- Faites-en ce que vous voulez !

Les chauveyas se ruèrent sur Yanto.

•
•

Pak'Zil comprit immédiatement pourquoi Ah Puch avait fait le geste de lui tendre les bras : il voulait la tête de Buluc Chabtan.

Les membres tremblant d'effroi, Pak'Zil la lui tendit.

- Je... Je... Je... Ce n'est... pas moi qui lui ai fait... ça.

Ah Puch planta sa crosse dans une fissure entre deux pierres du temple et saisit la tête de son frère. Il la fixa longuement, puis posa un genou par terre. Ensuite, il pressa le crâne de son frère sur sa poitrine décharnée. De ses yeux s'écoulèrent des larmes de feu qui, en tombant, transperçaient le sol.

Pak'Zil profita de ce moment de recueillement pour s'approcher de Laya. Elle était toujours vivante, puisqu'elle respirait et que ses yeux remuaient sous ses paupières.

Alors que le scribe s'approchait d'elle, Ah Puch remit la tête de son frère dans le sac en peau de tapir. Boox se décrispa et vint vers lui.

- Seigneur de Mitnal, je veux une autre femme aux cheveux d'or. Le prince a mis fin au processus d'accouchement et possède maintenant les *sak nik nahal* en lui.

Ah Puch se détourna, comme si le chef des Gouverneurs ne lui avait pas adressé la parole. Boox enchaîna :

- Seigneur de Mitnal, depuis trop longtemps je suis coincé dans ce maudit monde où je n'ai que des illuminés pour compagnons. Vous devez me donner une autre chance.

Cama Zotz, au pied du temple, s'envola et atterrit auprès du dieu de la Mort. Il repoussa Boox qui se tenait trop près de lui.

- Ne me touche pas, sale volatile, cracha Boox en le repoussant.

- Seigneur de Mitnal, continua Boox, une femme aux cheveux d'or, je suis persuadé que vous savez où on peut en trouver une autre. Dites-le-moi.

Boox posa la main une autre fois sur Ah Puch, une fois de trop pour Zotz, qui dégaina un couteau d'obsidienne et appuya la pointe dans le bas de son dos.

- Tu touches une autre fois au seigneur de la Mort et je fais glisser la lame de ce couteau dans ton ventre.

Boox fit un habile demi-tour et parvint à désarmer Zotz en lui assénant un coup au poignet. L'arme atterrit en face de Pak'Zil, qui n'eut qu'à étirer le bras pour s'en emparer. Il la glissa vivement dans la poche arrière de son pagne.

Boox, qui avait plusieurs têtes de plus que Zotz, voulut en découdre avec lui. Zotz recula. Il avait eu la consigne de n'attaquer qu'au cas où Ah Puch serait en danger.

Boox, tête première, fonça sur Zotz qui fut projeté dans l'escalier du temple. Il débaula quelques marches avant de s'envoler. Puis, effectuant un arc de cercle, les pieds devant, il fonça sur Boox qui tomba à la renverse.

Ah Puch frappa le sol de sa crosse à deux reprises. Cama Zotz recula immédiatement. Ah Puch pointa Boox du bout de sa crosse. Une lueur orangée apparut au centre de l'anneau qui la surmontait. Il la mit au-dessus de la tête du chef des Gouverneurs dont le corps se raidit immédiatement. Seuls ses yeux pouvaient bouger.

- C'est une chance qu'on ne soit pas seuls, fit Zotz. Je t'aurais donné une leçon qui aurait mis fin à ton arrogance et à ton existence.

Ah Puch tourna la tête et regarda le dieu Chauve-souris : il en avait assez entendu. Zotz baissa la tête en signe de soumission, puis il transmit un message à Boox :

- Seigneur Ah Puch est déçu que tu aies échoué dans ta tentative de générer de nouveaux habitants pour la Cinquième création. Tu avais tous les éléments à ta disposition pour réussir et parce que tu as agi de manière lamentable, le projet ne pourra se réaliser.

Les yeux de Boox allaient de gauche à droite, mais pas un son ne sortait de sa bouche.

- Seigneur Ah Puch, dans Sa Grandeur, t'as offert une occasion qui ne reviendra plus. Les *sak nik nahal* que le prince Pakkal a absorbés sont perdus à jamais. Ils sont emprisonnés en lui. Cela signifie que tu n'es plus le chef de rien. Ah Puch te condamne à errer éternellement.

Les yeux de Boox continuaient de remuer vivement.

- Par ta faute, l'avenir que le seigneur Ah Puch prévoyait pour le prince de Palenque ne tient plus. Il aurait fait un excellent allier, contrairement à toi qui ne semble avoir qu'un but, contrôler Xibalbà. Ça n'arrivera jamais. La Quatrième création n'existera plus dans quelques jours. Lorsque tous ses misérables habitants auront péri, tu seras le seul survivant.

Ah Puch se remit à verser des larmes de feu et serra avec plus de vigueur le sac en peau de tapir. Zotz s'arrêta, désarçonné, et observa son maître. Ah Puch tourna son regard vers Pak'Zil qui lui fit un geste de la tête.

- Je vous ai dit que ce n'est pas moi qui l'ai mise dans cet état. Je n'ai aucun rapport avec cette tête.

Zotz s'approcha du scribe.

- Il est évident en te regardant que ce n'est pas toi qui as réussi à décapiter Buluc Chabtan.

Pak'Zil se demanda s'il devait se sentir insulté.

- Qui t'a remis cette tête? Qui est responsable de ce sacrilège?

Pak'Zil bougea les yeux jusqu'à Pakkal. Il s'aperçut qu'il venait de commettre une erreur et observa Zotz de nouveau.

- Le prince aux douze orteils? Tu prétends que c'est cet enfant qui est venu à bout du dieu de la Mort subite?

- Non... Non. Non. J'ai... C'est moi.

Cama Zotz mit un pied sur la poitrine de Pakkal.

- Je sais que ce n'est pas toi.

Zotz se pencha pour tirer les cheveux du prince, mais Pak'Zil dégaina le couteau d'obsidienne et le planta dans l'épaule du dieu Chauve-souris. Le scribe tenta de récupérer l'arme, mais elle restait coincée dans son épaule.

Zotz empoigna le manche de la dague et la tira vers le haut. La lame du couteau était recouverte d'une substance gélatineuse et noire. Zotz laissa tomber l'arme.

- Laisse-moi te faire découvrir à quel point tu viens de faire une...

Pak'Zil s'attendait à devoir se défendre, mais Zotz restait immobile.

- Désolé, vous n'avez pas terminé votre phrase. Vous disiez?

Un énorme serpent à plumes fit son apparition dans le ciel. Il fit quelques tours au-dessus du temple en perdant de plus en plus d'altitude. Dès qu'il toucha le sol, il se transforma en un grand homme ridé au nez proéminent et aux yeux carrés.

Stupéfait, Pak'Zil s'exclama :

- Nom d'Itzamnà !

Il n'avait jamais su si bien dire.

．．

La marche que Zenkà entreprit, sous la menace de Tuumax et de centaines de chauveyas, promettait d'être pénible. Et elle le fut. Avec un pied en moins, Zenkà devait sautiller pour avancer. De plus, il perdait souvent l'équilibre en raison du sol couvert de moisissures; il glissait et s'affalait de tout son long. Les chauveyas se bidonnaient et Tuumax lui ordonnait de se relever. Lorsque Zenkà refusa de se relever, le dieu des Cauchemars lui arracha une oreille. Le guerrier comprit qu'il n'avait aucun pouvoir de négociation.

La manière dont Yanto avait été traité ne portait pas Zenkà à la désobéissance. Plusieurs chauveyas s'étaient précipités sur son camarade lorsque Tuumax, d'un seul claquement de langue, leur avait sommé de le faire; une centaine de bêtes au moins, toutes plus déterminées les unes que les autres à obtenir un morceau. Il fut démembré avec une sauvagerie digne de ces lieux, qui en avaient vus bien d'autres. Mais parce qu'il était déjà mort, Yanto n'était pas mangeable. Les chauveyas plantèrent leurs crocs dans sa chair, mais les retirèrent tout aussi rapidement. Parce qu'ils étaient infiniment stupides, croyant que la deuxième, la troisième ou la quatrième fois allait être la bonne, les chauveyas se reprirent plusieurs fois avec l'intention de croquer les membres de Yanto. Ils les recrachaient immédiatement : c'était toujours aussi mauvais.

Tuumax mit fin à leur dégustation en sifflant. Les chauveyas larguèrent les bouts de Yanto et s'éloignèrent. Zenkà fut saisi par l'image qui s'offrait à lui : son camarade, qui avait fait preuve d'une loyauté remarquable quoique suicidaire, avait été déchiqueté, hormis sa tête, toujours intacte. Il clignait encore des yeux, ses lèvres remuaient et son visage adoptait un air aussi effrayé qu'effrayant. Zenkà comprit que Yanto avait assisté, impuissant, au carnage dont il avait été victime. Tuumax s'empara de la tête par les cheveux et la lança en direction de Zenkà. Elle roula jusqu'à lui. Le regard de Yanto croisa celui du guerrier. Même si sa tête était détachée de son corps, il était encore conscient. Mal à l'aise, Zenkà lui dit :

- Tu aurais dû l'écouter.

Yanto essaya de parler en remuant les lèvres, mais aucun son ne sortit. Tuumax s'empara de la tête et la lança aux chauveyas.

- Amusez-vous !

Il regarda Zenkà et lui dit :

- S'il ne m'amuse plus, il peut encore faire plaisir aux chauveyas. Il n'y a pas meilleur ballon qu'une tête de Maya.

Plusieurs chauveyas se mirent alors à frapper la tête de Yanto avec leurs coudes, leurs hanches et leurs genoux. Zenkà comprit que son ami allait désormais servir de jouet aux chauves-souris géantes pour l'éternité. Cette idée le dégoûta et une sourde révolte naquit dans son esprit.

Il ne savait toujours pas où Tuumax l'entraînait et ignorait ce que le dieu des Cauchemars lui réservait. Mais il se souvenait de ce qu'il lui avait dit : il aimait bien « jouer » avec des « gaillards » et non avec des « squelettes ambulants de Mayas ».

La marche devenait de plus en plus pénible. Zenkà tombait maintenant à chaque pas, c'est-à-dire à chaque saut. Tuumax l'insultait tandis que des chauveyas volaient autour de lui en tentant de le mordre. Tuumax réagissait en les battant, ce qui ne les empêchait nullement de recommencer leur jeu dès que l'occasion se présentait.

Tuumax aurait pu faire réapparaître le pied du guerrier, mais il ne le fit pas, les maladresses de Zenkà l'amusant.

Le calvaire de Zenkà dura longtemps. Tuumax se sustenta de morceaux de cadavres faisandés à plusieurs reprises. Il obligeait le guerrier de Kutilon à poursuivre sa route, affirmant qu'il lui faisait perdre du temps. Affamé, épuisé, déprimé mais forcé d'avancer, Zenkà obtempérait. Une fois, Tuumax s'étant attardé derrière lui, il fut assailli par les chauveyas qui, profitant de l'absence de leur maître, l'attaquèrent furieusement. Zenkà réussit à en repousser plusieurs et à en tuer quelques-uns, mais il perdit beaucoup à ce combat inégal, notamment son nez et plusieurs doigts. Il vivait un véritable cauchemar. Plus que la douleur physique et les humiliations, c'est le désespoir qui lui était insupportable. Le fait de se savoir condamné à perpétuité le minait. De temps à autre, une petite étincelle jaillissait lorsqu'il songeait au Portail des rêves. Puis il se rappelait ce que lui avait dit Yanto : que le Portail des rêves n'avait sans doute jamais existé. Et s'il y avait effectivement quelque part dans le Monde intermédiaire un lieu comme celui-là, comment allait-il pouvoir s'y rendre ? Alors quand Zenkà revenait à sa réalité de pauvre éclopé sautillant auprès d'un être cruel qui ne voulait que son malheur, il entrait dans un état de désolation toujours plus profond.

Après ce qui lui sembla être des mois d'errance, il entendit Tuumax lui annoncer qu'ils étaient arrivés. Où se trouvaient-ils ? Zenkà se le demandait. Ils étaient au beau milieu d'un de ces interminables corridors, comme ceux — des milliers — qu'ils avaient déjà arpentés. Zenkà n'y voyait rien de différent, hormis que Tuumax venait de décréter que c'était celui où se terminerait leur voyage.

Le dieu des Cauchemars s'approcha de Zenkà et posa une main sur son épaule. Le guerrier sentit un picotement dans la jambe qui n'avait plus de pied. Lorsqu'il baissa la tête, il vit que son pied était réapparu. Des démangeaisons, il en ressentit partout où son corps avait été meurtri. En quelques instants, il reprit son aspect antérieur, et ce corps de guerrier qu'il avait eu avant que sa mort survienne.

- Parfait ! s'exclama Tuumax.

Il fit tourner Zenkà sur lui-même.

- Es-tu prêt ?

Le guerrier de Kutilon se doutait que Tuumax se moquerait de lui avant de s'amuser, il le titillait. Zenkà n'entra pas dans son jeu.

- Es-tu prêt ? redemanda Tuumax. Est-ce que tu as une idée de ce qui t'attend ?

Zenkà resta muet.

- Je croyais que je t'avais donné trop d'indices. Tu te rappelles quand tu étais petit, les cauchemars que je te faisais subir ?

Oui, il se rappelait ces horribles nuits au cours desquelles il finissait par aller rejoindre sa mère dans son hamac pour être capable de se rendormir même s'il n'avait plus l'âge de ces enfantillages. Une fois adulte, lorsqu'il se remémorait ces mauvais rêves ou lorsqu'il était sur le point de les refaire, il sentait que ceux-ci pouvaient avoir autant de prise sur lui qu'autrefois. Les images étaient toujours les mêmes, criantes d'horreur. Avec le temps, cependant, il avait appris à contrôler ses mauvais rêves. Aussitôt assoupi, dès que les images tournaient à la cruauté et qu'il se rendait compte que le rêve allait le mettre dans tous ses états, il prenait possession du scénario. Ce n'était pas aisé, il fallait une grande maîtrise, mais Zenkà y parvenait.

Sauf pour un cauchemar, celui qui continuait de le hanter. Ce cauchemar commençait toujours de la même manière. Même s'il savait qu'il s'agissait d'un mauvais rêve, que tout ce qu'il allait vivre n'existait que dans son esprit et qu'il n'était pas menacé physiquement, une authentique terreur s'emparait de lui. Il faisait tous les efforts possibles pour se réveiller, mais c'était peine perdue : il n'avait pas le choix, il le vivait avec une intensité bien réelle. Une autre fois.

Tuumax posa une main sur l'épaule de Zenkà.

- Bienvenue dans le monde des cauchemars, fit-il.

C'est alors que le guerrier se rendit compte qu'il s'enfonçait dans le sol.

∴
• • •

Au bas de la pyramide principale de Tazumal, le père de tous les dieux, Itzamnà, venait de se poser. Il était aussi considéré comme le dieu des Scribes et Pak'Zil, chaque fois qu'il s'apprêtait à écrire, le priait et le remerciait pour avoir donné au peuple maya la faculté de transcrire les connaissances qu'il possédait. Il lui exprimait aussi sa gratitude d'être né dans une famille de scribes et d'avoir le grand privilège, au moyen de la gravure de glyphes, de fixer l'histoire dans la pierre.

Le corps plié en deux, le front touchant le sol, les mains étendues devant lui, Pak'Zil se prosterna devant le dieu du Monde supérieur. Même si le protocole exigeait qu'il reste dans cette position, il osa lever la tête pour observer Itzamnà.

- Vous avez apprécié mon présent ? demanda le père de tous les dieux à Ah Puch.

Le dieu de la Mort redressa sa crosse et libéra ainsi Boox de sa paralysie. Il fit quelques pas en avant, en tenant serré contre lui le sac contenant la tête de son frère.

Zotz, tétanisé par la présence d'Itzamnà, se plaça derrière son maître. S'il n'avait pas eu à jouer son rôle de porte-parole de Ah Puch, il y a longtemps qu'il se serait envolé. Sa seule rencontre avec Itzamnà, qui avait eu lieu des milliers d'années auparavant alors que le Monde supérieur, le Monde intermédiaire et le Monde inférieur ne faisaient qu'un, s'était soldée par une blessure presque mortelle.

Avant la Première création, les dieux vivaient sur les terres des Mayas. C'était cependant une guerre continuelle, sans cesse alimentée par Ah Puch et ses disciples. À plusieurs reprises, Itzamnà avait demandé à Ah Puch de faire la paix.

Le père de tous les dieux refusait de faire la guerre. Il se contentait de mater l'armée de Ah Puch et de la repousser dans le territoire qui lui avait été dévolu. Plusieurs pactes de non-agression avaient été scellés, mais ils furent toujours violés par Ah Puch dont le but ultime était de subjuguer Itzamnà et ses comparses afin de prendre possession des lieux.

Las de cette attitude résolument guerrière, Itzamnà eut une rencontre avec son père, Hunab Ku, et lui demanda, dans sa grande puissance, de créer trois mondes : un pour les dieux malveillants, un autre pour les bons et un troisième qui serait peuplé par des êtres soumis aux forces des deux mondes. Hunab Ku accepta, et, pour lier ces trois univers, il créa l'Arbre cosmique.

Ainsi, tous avaient des responsabilités et des pouvoirs uniques. À cette époque, la Mort, l'Amour, la Lune, le Soleil, le Miel, les Scribes, l'Agriculture ou le Suicide n'existaient pas. Ils furent créés en même temps que la Quatrième création. Chaque domaine fut attribué aux dieux selon leurs vertus et pendant des centaines d'années, les habitants du Monde intermédiaire furent assujettis aux humeurs des deux forces. Mais Ah Puch, malgré les tâches qui lui incombaient, ne se satisfaisait pas de ce qu'il avait. Il désirait posséder l'univers en entier pour en faire ce qu'il voulait, c'est-à-dire un lieu anarchique où le bonheur serait aussi rare qu'un arc-en-ciel monochrome, le noir.

Il y eut quelques tentatives d'invasion de la part de Xibalbà, qui se soldèrent toutes par des échecs, surtout parce qu'elles étaient désorganisées et mal préparées.

Jusqu'à ce jour de l'an 615 où Ah Puch, comptant sur la position des astres et de leur ascendance, parvint à créer une brèche qui, contrairement aux autres, ne se referma pas immédiatement. Les dieux du Monde supérieur, trop occupés à maintenir l'équilibre qui permettait aux Mayas du Monde intermédiaire de survivre, placèrent tous leurs espoirs dans un individu de douze ans, prince de Palenque et né le même jour que la Première Mère, garçon qui avait le potentiel de devenir un des leurs. L'objectif ultime, repousser les envahisseurs, était monumental. Seul un futur dieu pourrait y parvenir.

Les dieux du Monde supérieur ne pouvaient pas faire la guerre, puisque s'ils s'impliquaient dans un conflit, ils ne pourraient plus se consacrer à faire le bien. Cela ne prendrait que quelques jours de ce régime pour que des torts irréparables soient commis. Voilà pourquoi ils devaient remettre le sort de la Quatrième création entre les mains de Kinic'h Janaab Pakkal, dit le Bouclier.

Bien qu'Itzamnà détestât la guerre, il n'avait nullement apprécié la visite de Buluc Chabtan dans le Monde supérieur et les ravages qu'il avait causés, notamment ceux provoqués par le Soleil teint en bleu, dont les rayons avaient corrompu tout ce qu'ils éclairaient.

L'arrogance et le mépris dont Chabtan avait fait preuve avaient insulté profondément Itzamnà. Voilà pourquoi il avait décidé d'offrir à son ennemi juré un présent au symbolisme marqué. Il savait qu'il n'y avait pas d'affront plus viscéral que de s'attaquer au frère du seigneur de Mitnal, surtout si on lui offrait sa tête après l'avoir décapité. Par ce geste d'une outrecuidance absolue, loin des mœurs du Monde supérieur, Itzamnà avait voulu démontrer à Ah Puch que Pakkal n'était pas seul dans sa lutte contre le Mal.

Sans l'ombre d'un signe de nervosité, Itzamnà continua à narguer Ah Puch.

- S'il le faut, je vous ramènerai la tête de vos dieux, l'une après l'autre. Vous pourrez vous en faire un collier; les crânes que vous portez au cou semblent quelque peu défraîchis.

Toujours derrière son maître, Zotz déclara :

- Cette avanie ne sera pas sans conséquence. Avec le prince aux douze orteils, nous ne faisions que nous réchauffer. Maintenant qu'il est hors d'état de nuire, nous allons passer aux choses sérieuses.

Itzamnà se pencha et prit une poignée de terre. Il la frotta entre ses deux mains.

- Si jamais l'un de vos amis remet les pieds chez moi, il aura droit aux mêmes égards que votre regretté frère. Vous pourriez tenter de prendre le contrôle du Monde intermédiaire, mais il serait plus qu'improbable que vous y parveniez.

Il pointa le ciel du doigt.

- Il est inutile d'essayer de nouveau. De là où j'habite, nous avons pu vous repousser des centaines de fois. Que faut-il que je fasse pour que vous réalisiez que vous n'êtes pas de taille ?

Ah Puch montra le corps inanimé de Pakkal. Zotz déclara :

- Croyez-vous vraiment que ce lombric enfant parviendra à mettre fin à notre domination ?

- Non seulement j'y crois, mais j'en suis persuadé. Mort ou vivant, il représente la plus sérieuse menace que vous n'ayez jamais subie.

Zotz poussa un ricanement que Ah Puch désapprouva en lui lançant un regard furieux. Le dieu Chauve-souris s'interrompit et continua à jouer son rôle d'interprète :

- Vous êtes vraiment naïf. Dois-je vous rappeler que Pakkal est inconscient et que ses deux yeux ont été dévorés ?

- Le futur disparaîtra bientôt pour laisser place au présent, la situation changera.

Zotz jeta un coup d'œil à Ah Puch, interloqué ; que voulait dire Itzamnà en prononçant ces paroles ?

Pendant cette discussion, Boox avait eu le temps de retrouver ses esprits et de remâcher sa hargne. Il se releva soudain et, à la surprise générale, le colosse à tête de hibou s'empara du corps de Pakkal et s'enfuit.

.
....

Impuissant, Zenkà voyait ses jambes s'enfoncer et être avalées par le sol, comme s'il s'était englué dans des sables mouvants. Tuumax le contemplait en silence, un sourire cynique aux lèvres. Ce qui ne fit qu'aviver l'impatience de Zenkà qui tentait d'en sortir en bougeant les jambes et en s'aidant de ses bras. Mais cela ne servait qu'à accélérer l'enlisement.

Même si Zenkà ne voulait pas montrer son désarroi, lorsqu'il se trouva recouvert jusqu'aux hanches, son instinct de survie prit le dessus sur son orgueil.

Le dieu des Cauchemars fit un pas en avant et s'accroupit :

- Si tu as cru que Xibalbà t'a fait vivre ce qu'il y a de plus horrible, tu vas changer d'opinion.

- Libérez-moi, fit Zenkà. Je ferai tout ce que vous voudrez.

Tuumax posa sa main sur la tête du guerrier et la tapota, comme il l'aurait fait avec un chien.

- Tu es mignon. Vraiment mignon ! L'endroit manque cruellement d'innocente beauté, tu es parfait. Je te remercie de l'enrichir de ta présence.

Zenkà s'efforça désespérément de se relever sur les mains, mais celles-ci s'enfonçaient également. Ainsi privé de ses dernières armes, il n'avait plus aucun moyen de se défendre. La panique l'envahit.

- Je serai votre plus fidèle guerrier, poursuivit-il en bougeant ses épaules d'avant en arrière. Je ne reculerai devant aucune menace pour vous défendre. Je vous le jure.

Zenkà avait franchi l'ultime étape du désespoir, affligé au point de prêter un serment d'allégeance à un dieu du Monde inférieur. La gravité du moment l'avait fait basculer du côté des ténèbres ou de la folie.

Afin que sa tête soit à la hauteur de celle du guerrier, Tuumax s'assit sur le sol, les jambes croisées, le menton reposant sur ses mains.

- Continue de m'abreuver de tes belles paroles. Je n'en demandais pas tant.

Envasé jusqu'à la poitrine, en proie à un sentiment de terreur, Zenkà tenta de se raisonner. Il ne pouvait pas mourir, puisqu'il avait déjà trépassé. Mais il pouvait encore ressentir la douleur, il en avait eu d'innombrables preuves depuis son arrivée dans le Monde inférieur.

Tuumax interrompit ses réflexions :

- À quoi penses-tu ?

Zenkà cracha :

- Je pense que lorsque je sortirai d'ici, je ferai une bouillie de votre tête.

Tuumax fut décontenancé par cette réponse. Il s'esclaffa.

- Vous, Mayas, êtes d'humeur tellement changeante ! Il y a peu de temps, tu étais prêt à me servir. Maintenant, tu veux te débarrasser de moi. Il faudrait choisir, je ne sais que penser de toi. Tu me dis que tu m'aimes, un instant plus tard tu me détestes. Tu joues avec mes sentiments.

Zenkà n'avait plus que sa tête hors du magma. Mais son esprit combatif avait repris le dessus. Il se sentait honteux d'avoir promis fidélité à son pire ennemi, cet être méprisable qui n'avait aucun code d'honneur.

- Ne te rends-tu pas compte que je suis d'une extrême gentillesse avec toi ? Je pourrais transformer ta tête en ballon de *pok-a-tok*, comme celle de ton ami. Tu imagines quelle serait alors ton existence ? Être continuellement frappé et lancé comme un jouet, puis être laissé de côté, abandonné, peut-être pour toujours. Horrible, je te dis. Horrible.

- Nous nous reverrons, murmura Zenkà.

Tuumax se redressa et posa un pied sur sa tête.

- Effectivement, nous nous reverrons.

Le dieu des Cauchemars enfonça son pied et la tête de Zenkà disparut entièrement.

Le guerrier de Kutilon ne pouvait ni respirer ni remuer. Il était plongé dans l'obscurité la plus totale en un lieu où aucun bruit ne se faisait entendre. Après un moment de panique, étrangement, il commença à bien se sentir. Il était dans un état mystérieux, entre l'euphorie et la fatigue extrême. Un peu comme lorsqu'il venait de remporter une bataille et qu'il voyait ses ennemis prendre la fuite. Il était vanné, certes, mais le sentiment d'avoir vaincu lui donnait une impression de puissance inégalée.

Cela ne dura pas longtemps. Il sentit qu'on enserrait ses chevilles et il fut tiré vers le bas rapidement. Sa descente se poursuivit jusqu'à ce que tout son corps retombe sur une surface spongieuse.

Avec ses mains, il retira la matière collante qu'il avait dans les oreilles, puis il se nettoya les yeux et le visage. Avant qu'il n'ait pu voir où il se trouvait, il entendit qu'on l'appelait :

- Zenkà ?

Il se retourna. Sa vue était embrouillée, il ne put distinguer la personne qui l'avait appelé. Mais cette voix ne lui était pas inconnue, elle lui rappelait quelqu'un.

- Zenkà, il y a si longtemps que je te cherche.

Le guerrier de Kutilon sentit son angoisse grimper d'un cran. Ce ne pouvait pas être *lui* ? Oui, pourtant. Il était au niveau de Xibalbà, contrôlé par le dieu des Cauchemars. Tuumax le lui avait dit.

Zenkà se frotta énergiquement les yeux. Sa vision ne s'améliorait guère.

- Pourquoi, Zenkà ? Pourquoi m'as-tu fait cela ? Tu savais qu'il était dangereux et tu n'as rien fait pour me protéger ?

Le guerrier voulait être sûr, il avait besoin d'eau pour se nettoyer les yeux. Il tâtonna autour de lui, le sol avait la texture d'une éponge. Il se mit à genoux, avança et plongea la main dans un liquide poisseux. Il en mit sur son front et sur ses yeux. Dès que son regard se fut éclairci, il chercha à gauche et à droite.

- Je suis ici.

Zenkà se retourna complètement. C'était bien *lui* : son frère. Exactement tel qu'il lui apparaissait dans ses cauchemars après que son chien, Racine, l'eut tué. Son corps était celui d'un enfant de neuf ans, déchiqueté par des dents pointues. De ses plaies s'écoulait un flot de sang, le sang dont Zenkà s'était servi pour se nettoyer le visage.

Zenkà se trouvait devant l'incarnation de l'être qui l'avait effrayé le plus au monde. Il avait rêvé de son frère des centaines de fois depuis qu'il l'avait retrouvé mort, le corps affreusement mutilé. L'image s'était incrustée dans ses souvenirs, le temps ne l'avait jamais effacée. Lorsqu'il s'était confié à son grand-père pour lui raconter ses horribles songes, le vieillard l'avait rassuré, affirmant que le temps allait estomper son traumatisme. Pour une rare fois, le sage homme s'était trompé.

Les mains de Zenkà se mirent à trembler. Il savait qu'il n'allait pas pouvoir se tirer de cette situation en se réveillant. Il ne pouvait pas fuir. Il allait devoir affronter les conséquences de l'erreur la plus impardonnable de sa vie.

•

———

Le prince de Palenque sur une épaule, Boox dévala les marches du temple des Étoiles et s'enfuit dans la forêt. Libéré du sort que Ah Puch lui avait jeté, il se dit que c'était le moment de redevenir maître de la situation. Encore une fois, le dieu de la Mort l'avait humilié! Comme si être condamné à passer des centaines d'années dans un monde qui n'existe pas avec des âmes dérangées n'était pas suffisant! Il avait échoué dans sa tentative, certes, mais n'arrivait-il pas à tous les grands chefs de commettre des erreurs de stratégie? Il n'était pas le premier et ne serait certainement pas le dernier. Il allait prouver à Ah Puch et à ses minables dieux de pacotille qu'il pouvait être un chef respectable. Un dieu, même! Il avait été victime de malchance, voilà tout.

Mais sa déveine était derrière lui, il allait désormais montrer à tous à quel point il était un brillant stratège.

Les *sak nik nahal* étaient prisonniers du stupide prince aux douze orteils et le crâne qui lui aurait permis de les rassembler était en miettes. Cela ne devait pas arriver, rien de tout cela n'avait été prévu. Pourtant, rien n'était perdu. Les *sak nik nahal* n'avaient pas disparu, ne lui restait qu'à trouver comment les récupérer. Il y a toujours une solution à un problème, pensa-t-il. Et il était bien résolu à la trouver.

Dès que cet imbroglio allait être démêlé et qu'il allait régner sur la Cinquième création, il allait se charger de Ah Puch. Il allait lui faire payer toutes les fois où il l'avait ridiculisé. Puis il allait s'en débarrasser et devenir le nouveau seigneur de Mitnal. Sa voie était tracée. Limpide. Il était né pour diriger Xibalbà.

Chemin faisant, le corps de Pakkal sur l'épaule, Boox fut étonné que personne ne tente de l'arrêter. Il avait supposé devoir livrer un combat ou deux au lieu de quoi il avait dévalé les marches du temple des Étoiles et avait pris le chemin le plus court pour s'enfuir dans la forêt sans qu'aucun poursuivant ne daigne l'ennuyer. C'était trop facile. Il y avait bien l'ami grassouillet du prince qui s'était interposé, mais il lui avait suffi d'une chiquenaude pour le repousser.

Boox ralentit la cadence et se borna à marcher rapidement tout en se retournant de temps à autre pour s'assurer qu'il n'était pas suivi. Quelques chauveyas l'accompagnaient sans le menacer en volant au-dessus de sa tête. Apercevant un ruisseau, Boox déposa Pakkal pour s'abreuver. Lorsqu'il se pencha, il vit dans le reflet du cours d'eau qu'un chauveyas s'apprêtait à l'attaquer. Il n'eut pas le temps de se retourner, les griffes de la chauve-souris géante lui déchirèrent le dos. Boox se raidit de douleur et s'aplatit dans le ruisseau. Son assaillant le retourna pour lui faire face et il vit qu'il s'agissait de Zotz. Boox tenta de lui asséner un coup de poing, mais le dieu Chauve-souris s'esquiva. Il réagit à cette charge en posant un pied sur la poitrine du colosse à tête de hibou, donna quelques coups d'ailes pour prendre de l'altitude et se laissa tomber sur le sternum de Boox, qui tressauta.

- Tu es calmé, maintenant ? fit-il. Seigneur Ah Puch a un service à te demander.

Non loin de là, lorsque Pak'Zil parvint à respirer de nouveau normalement, il cherchait des yeux Itzamnà et ne le vit pas au bas de la pyramide.

- C'est moi que tu cherches ?

Le dieu des Scribes était juste derrière lui, au chevet de Laya. Pak'Zil, intimidé, pencha la tête en signe de soumission.

- Désolé, seigneur Itzamnà.

- Relève la tête. À force de prosternations, tu vas te retrouver avec un torticolis.

- Excusez-moi, seigneur Itzamnà.

Le dieu des Scribes se retourna vers la princesse, toujours inconsciente. Pak'Zil observa le vieillard : sa peau était parsemée de rides profondes, semblables à des lacs asséchés. Ses doigts étaient longs et effilés, mais contrairement à ceux des scribes d'expérience qui manipulaient souvent des outils tranchants, ils étaient exempts de cicatrices.

- Vous croyez qu'elle va s'en tirer ? demanda Pak'Zil.

- Oui, avec un petit mal de tête, rien de plus. Il faut juste lui laisser le temps de récupérer. Elle a absorbé plus de vingt mille *sak nik nahal*, ce n'est pas rien.

Pak'Zil jeta un œil au bas du grand escalier.

- Seigneur Itzamnà, loin de moi l'idée de remettre en question votre grande sagesse, mais pourquoi avoir laissé partir Boox? Maître Pakkal est en danger.

Itzamnà frotta la bosse sur son nez.

- Kinic'h Janaab doit affronter cette épreuve, comme toutes les autres qu'il a dû subir auparavant. Tout indique qu'il sera un dieu, mais il doit le prouver.

- Seigneur Itzamnà, je ne désire nullement vous vexer, mais Pakkal est très faible et il est inconscient. Boox n'en fera qu'une bouchée. Nous devons lui venir en aide.

Le dieu des Scribes repoussa les cheveux qui cachaient en partie le visage de Laya.

- Boox ne peut pas le tuer, fit-il. Pas maintenant.

Pak'Zil, bien qu'impressionné par l'assurance du père de tous les dieux, ne comprenait pas pourquoi il ne venait pas à la rescousse de Pakkal. On disait de lui qu'il était d'une grande perspicacité et le jeune scribe n'en doutait pas un instant. Itzamnà était à ce point redoutable, lui avait affirmé son père, que par sa seule volonté, il pouvait faire exploser le cœur de douze mille soldats formant une armée. À quoi lui servait tout ce pouvoir s'il ne l'utilisait jamais ? Pak'Zil était d'accord avec le principe qu'il fallait vaincre l'adversité pour prouver sa valeur, mais Pakkal n'avait que douze ans !

- Vous m'excuserez, seigneur Itzamnà, mais parce que vous m'avez assuré que Laya n'est plus en danger, je vais tenter de prêter main-forte à mon ami.

Pak'Zil n'attendit pas l'assentiment d'Itzamnà pour se relever. Lorsqu'il posa le pied sur la première marche, le dieu du Monde supérieur lui dit :

- Si tu y vas, tu vas mourir. La seule personne qui pourrait aider ton ami n'est pas encore née.

La mort de son frère avait été pour Zenkà le choc de son existence, le moment douloureux dont il se rappelait chaque instant. Pourtant, son plus cher désir était d'oublier cet horrible épisode. Oublier la rage de son chien, les cris de désespoir de son frère, les lambeaux de chair et le sang. Zenkà, comme tous les Mayas ne faisant pas partie de l'élite, était un chasseur émérite. Des carcasses d'animaux sanguinolentes, il en avait vues des centaines. Le sang ne lui faisait pas peur, il en avait bu à l'occasion, même s'il n'en aimait pas le goût. Les chasseurs aguerris prétendaient que c'était un moyen de rendre hommage à la bête en ne faisant qu'un avec elle.

Zenkà n'avait pas peur du sang. Mais lorsqu'il vit se répandre celui de son frère, pourtant identique à celui d'un cerf, il vomit de dégoût. Car son chien, Racine, était responsable de cette mort atroce. Ce cabot, il l'avait trouvé, affamé et rôdant dans la forêt, les côtes saillantes, blessé, probablement battu. Zenkà avait alors quinze ans et dans le but de prouver à ses parents qu'il pouvait être un jeune homme responsable, il s'était mis en tête de sauver ce chien voué à une mort certaine.

Il l'avait amené à la maison et l'avait soigné et nourri. Puis il l'avait dressé. Racine avait la tête dure, mais après des mois d'entraînement, il lui obéissait au doigt et à l'œil. Zenkà passait toutes les heures de la journée avec lui, il lui avait même fait une place sur sa paillasse, au grand dam de ses parents qui ne voulaient pas d'un chien dans la maison. Lorsque tout le monde dormait, Zenkà le faisait entrer sans permission. Le matin très tôt, lorsque le soleil pointait son premier rayon et que tous dormaient encore, il faisait sortir Racine. Lorsque ses parents le surprirent, ils le punirent.

Zenkà décida de dormir à l'extérieur, comme un chien, avec son chien. Ses parents finirent par céder et supportèrent le chien à l'intérieur de la hutte, mais seulement à l'heure du coucher.

Quelque temps plus tard, Racine fit preuve d'actes d'agressivité injustifiés. Il grognait et jappait pour rien. Croyant qu'il s'agissait d'un manque de sévérité de sa part, Zenkà se fit plus autoritaire avec lui. Racine cessa ses comportements hostiles, jusqu'à ce qu'il morde son maître. Alors que Zenkà était dans la forêt pour ramasser du bois sec pour un feu, Racine lui planta les crocs dans l'avant-bras. Une blessure superficielle qui guérit rapidement. Mais devant ses parents, pour protéger Racine de leur probable colère, il prétendit à un accident de chasse.

Redoutant un nouvel incident, Zenkà se rendit chez l'Étranger aux chiens, un homme qui vivait reclus avec des dizaines de chiens au sommet d'une montagne. On l'appelait «l'Étranger» parce qu'il ne parlait à personne. Lorsqu'il se rendait au village, il achetait ce dont il avait besoin et repartait pour n'y revenir que des mois plus tard. Personne ne savait d'où il venait, qui étaient ses parents, quel était son nom et quel âge il avait. Personne ne lui adressait la parole parce que l'Étranger gardait le silence sauf quand il s'agissait de chiens. Alors seulement, il devenait plus loquace. Lorsqu'il en apercevait un, il s'arrêtait pour le flatter et lui offrir des oreilles de tapir cuites au four qu'il trimballait dans sa sacoche, les chiens les adoraient. Il donnait volontiers des conseils pour élever ou soigner un cabot quand on lui en demandait, mais dès qu'on abordait un autre sujet, que ce soit le mauvais temps ou sa vie personnelle, il se refermait comme une huître et repartait, sa dizaine de chiens derrière lui.

Zenkà entreprit de se rendre à la demeure de l'Étranger aux chiens sans prévenir ses parents. Il ne voulait pas qu'ils sachent que Racine lui donnait du fil à retordre. Une demi-journée de marche fut suffisante pour atteindre sa maison. Alors qu'il s'attendait à voir un lieu délabré, il trouva une demeure en bon état et des champs cultivés avec soin.

Zenkà fut accueilli par la meute de chiens, qui l'entourèrent en jappant à qui mieux mieux. Il dut tirer sur sa laisse de toutes ses forces pour empêcher Racine d'aller se battre avec eux.

L'Étranger, alerté par les aboiements, sortit de la maison. Dès qu'il siffla, tous ses chiens baissèrent les oreilles et reculèrent.

- Vous êtes sur un terrain privé, dit l'homme.

Il avait grogné son avertissement. Zenkà leva les mains pour montrer qu'il n'était pas une menace.

- Je le sais. Je suis venu vous demander conseil. Mon chien ne va pas bien.

L'Étranger regarda Racine et vint vers eux. Ses cheveux étaient en broussaille. Il ne portait aucun ornement et pas de maquillage. Une balafre, dont personne n'avait jamais parlé, lui barrait le visage, à partir de l'œil gauche jusqu'au menton.

- Qu'est-ce qu'il a, ton chien ?

- Il n'est plus comme avant. Il est agressif.

Zenkà montra son bras à l'Étranger.

- C'est lui qui t'a fait ça ?

Zenkà fit oui de la tête. L'Étranger se mordit la lèvre inférieure.

- Pas bon signe.

- Je me suis dit que vous pourriez m'aider.

Toujours en scrutant Racine, l'Étranger demanda :

- Qui est le chef ?

- Le chef ? Quel chef ? Celui du village ?

- Non. Le chef de la meute.

Zenkà ne comprenait pas et se demanda si le Maya n'était finalement pas un peu dérangé.

- La meute ? Quelle meute ?

L'Étranger répondit par une question :

- Des chiens, tu en as combien ?

- Un seul. Il s'appelle Racine.

L'homme se pencha et contempla sa fourrure. Avec ses mains, en y allant à rebrousse-poil, il repoussa les poils pour atteindre la peau.

- La meute, c'est toi et ton chien. Si ce n'est pas toi le chef, c'est normal qu'il t'attaque. C'est son instinct d'animal de meute.

Zenkà comprit ce que l'Étranger lui disait. On lui avait déjà expliqué ce principe.

- Je suis le chef. Il m'a toujours obéi, sauf depuis quelques jours.

- Tu l'as battu ? Il y a beaucoup de marques de violence sur son corps. Regarde, là et là.

Battre un chien était un signe de faiblesse chez les Mayas. Un proverbe disait : « Si tu bats ton chien, tu mérites d'être à sa place. » Zenkà fut offusqué par cette remarque.

- Non, je ne fais pas partie de cette famille de lâches.

- Très bien.

Lorsque l'Étranger voulut examiner la dentition de Racine, le chien tenta de le mordre. L'Étranger retira sa main au dernier moment.

- Désolé, il n'aurait jamais agi comme ça avant. Pouvez-vous m'aider ?

L'Étranger se releva et fit un bruit avec sa bouche.

- Je peux t'aider à le tuer, oui.

La première sensation que Laya ressentit en sortant de sa torpeur fut un douloureux mal de gorge : celle-ci était sèche et râpeuse, ce qui semblait l'empêcher de bien respirer.

- Eau, parvint-elle à dire.

Quelques instants plus tard, un liquide tiède coula dans sa bouche, qu'elle ne parvint pas à avaler. Comme si elle avait oublié comment faire. Après quelques essais, elle sentit l'eau glisser dans sa gorge.

Elle ne s'était pas trompée : l'air entrait plus facilement dans ses poumons.

Mais elle n'allait pas mieux pour autant. Elle avait mal à la tête et avait l'impression qu'un praticien fou s'était amusé à ouvrir sa poitrine, à en retirer tous les organes et à jongler avec, avant de les remettre en place dans un désordre navrant.

Que s'était-il donc passé pour qu'elle se sente aussi mal dans sa peau ? Ses souvenirs étaient aussi éparpillés que les feuilles mortes après un tourbillon de vent. Elle avait l'impression que son esprit avait été coincé, puis piétiné par une foule en délire.

Elle savait qui elle était. C'était un bon départ. Mais où elle était, elle n'en avait aucune idée. Ses oreilles étaient bouchées et pas question de soulever les paupières, les liens avec sa volonté avaient été rompus.

L'énergie qu'elle avait déployée pour demander et avaler l'eau qui avait glissé dans sa bouche l'avait épuisée. Elle se rendormit.

Lorsqu'elle s'éveilla de nouveau, se sentant un peu mieux, elle tenta d'entrouvrir les paupières. Ça ne fonctionna pas. Elle entendit alors une voix douce lui dire au creux de l'oreille :

- Ne faites pas d'efforts inutiles.

Laya obéit. Elle connaissait cette voix, mais était trop sonnée pour entreprendre des recherches dans sa mémoire.

Les jours suivants furent suivis de longues périodes de sommeil et de quelques brefs instants d'éveil. Ses sens se ranimaient lentement. Elle entendait de mieux en mieux et réussissait à papilloter des paupières. Chaque fois, la voix lui disait qu'elle n'avait rien à craindre, qu'elle pouvait prendre tout son temps pour récupérer.

Cependant, plus son corps faisait des progrès, plus d'affreuses évocations de ce qui s'était produit émergeaient à sa conscience. Le colosse à tête de hibou l'avait terrorisée et avait ébranlé sa raison.

- Reposez-vous, lui disait la voix quand elle s'agitait. Il n'y a plus de menace à l'horizon. Vous êtes entre bonnes mains, les miennes.

Laya avait reconnu la voix : c'était celle de la grand-mère de Pakkal, dame Kanal-Ikal. Laya avait été longtemps sous l'impression que c'était une femme dure et déplaisante alors que, au contraire, elle s'en rendait compte à présent, c'était une véritable perle !

La princesse tenta de comprendre ce qui s'était passé. Si la grand-mère de Pakkal était à ses côtés, est-ce que ça voulait dire qu'elle était à Palenque ? Si oui, que faisait-elle dans cette ville ? Dans ses derniers souvenirs les plus récents, elle était à Tazumal, au sommet du temple des Étoiles. Elle se rappelait le crâne de Boox et l'horrible baiser qu'elle avait été forcée de lui donner. Puis il y avait eu la douleur. Puis le vide. Qui l'avait ramenée à Palenque ? Pakkal ? En la portant dans ses bras ? Cela signifiait donc qu'il était devenu son serviteur dévoué, pensa-t-elle. Son sens du sarcasme lui était revenu, elle se dit que c'était bon signe.

Elle n'ouvrit vraiment les yeux que quelques jours plus tard et avala son premier repas le même jour, une bouillie de grains de maïs. Elle avait encore du mal à parler, comme si ses cordes vocales avaient été pétrifiées comme des stalactites. Parler... C'était son activité préférée ! Quelle cruauté.

- Ce n'est pas étonnant après ce que vous avez vécu. Tout va reprendre son cours, vous verrez : vous retrouverez votre belle voix.

Dame Kanal-Ikal, toujours aux côtés de Laya, était d'une infinie patience et répondait à ses moindres désirs. La princesse se considérait comme privilégiée d'avoir une femme aussi dévouée pour s'occuper d'elle.

Dame Kanal-Ikal lui expliqua ce qui s'était passé pour qu'elle se retrouve sous sa tutelle.

- C'est Pakkal qui vous a sauvé la vie. C'est lui qui a aspiré les *sak nik nahal* à votre place.

En apprenant cela, l'amour que Laya portait à Pakkal décupla. Le prince de Palenque avait risqué sa vie pour sauver la sienne ! Il n'y avait plus de doute possible, il l'aimait.

Toutefois, ce que dame Kanak-Ikal ajouta la bouleversa. Pakkal n'était pas à Palenque. Il avait été kidnappé par Boox et on ignorait où il se trouvait.

- On ne sait même pas s'il est encore vivant.

Les mots s'étranglèrent dans sa gorge; dame Kanal-Ikal ne put réprimer un sanglot. Après avoir versé quelques larmes, elle poursuivit :

- Pak'Zil nous a raconté la suite. Vous êtes revenue ici grâce au grand Itzamnà. Des Guerriers célestes vous ont trouvée dans la Forêt rieuse. Itzamnà a indiqué à Pak'Zil ce qu'il fallait faire pour vous mener sur la voie de la guérison. Il ne s'est pas trompé.

Dame Kanal-Ikal continua à résumer ce qui s'était passé. Sa fille, dame Zac-Kuk, avait repris les rênes de la cité après avoir été protégée par Ah Mucen Cab, le dieu du Miel et des Abeilles. Elle aussi venait de traverser une période pénible. Corrompue par Xibalbà, c'était une chance qu'elle puisse retrouver sa constitution d'antan.

Palenque était la cité la mieux protégée de l'univers maya, dame Kanal-Ikal en était persuadée. En plus d'être sous les auspices des Quatre cents guerriers célestes, Zipacnà, le géant à tête de crocodile; Kalinox, le vieux scribe, lequel visitait dame Kanal-Ikal au moins trois fois par jour afin de s'assurer qu'elle ne manque de rien; Katan, le guerrier mi-maya, mi-chauveyas; Kinam, le chef de l'armée de Palenque; Nalik, la Fourmi rouge aussi agile qu'un singe; Takel, la maîtresse des jaguars et Siktok, le lilliterreux; tous se trouvaient dans la ville, attendant la suite des choses pour agir.

- Mais certains vont bientôt partir, car Ah Mucen Cab leur a appris une mauvaise nouvelle.

Laya l'interrogea du regard. Dame Kanal-Ikal se leva et plongea le linge qu'elle utilisait pour tamponner le front de la princesse dans un pot d'eau fraîche.

- L'Arbre cosmique, fit-elle. Ses heures sont comptées.

Elle fit une pause. Puis ajouta gravement :

- Par conséquent, les nôtres le sont aussi.

.•.

Le frère de Zenkà s'approcha de lui en traînant l'une de ses jambes déchiquetées, à moitié arrachée par les dents de Racine.

- Tu le savais et tu n'as rien fait, dit-il.

Le guerrier de Kutilon n'arrivait pas à contrôler son effarement. Il voulait fuir, mais ses jambes flageolantes n'arrivaient pas à se mouvoir.

- Pourquoi ? se lamenta Xipac, frère de Zenkà.

Il avait neuf ans quand le drame s'était produit. Sa voix, aiguë parce qu'il n'était pas encore pubère, fit ciller les oreilles de Zenkà. Les blessures sur son corps semblaient aussi fraîches que si elles venaient d'être faites.

Zenkà avait perdu toute maîtrise. La situation était hors de son contrôle. Il grelottait comme s'il venait d'être plongé dans un lac aux eaux glacées.

- Je... Je... Je suis... Désolé.

Zenkà avait quitté la demeure de l'Étranger aux chiens frustré et dépité. Après cette longue marche, le seul conseil que l'homme avait pu lui donner était de tuer son chien ! Ridicule ! Est-ce qu'il réglait tous les problèmes de comportement de cette manière ?

Selon l'Étranger, les chiens battus gardaient presque toujours des séquelles des agressions dont ils avaient été victimes, blessures qui ne pouvaient être guéries comme des dommages physiques. Et il avait ajouté :

- Il arrive que des blessures à la tête rendent les chiens fous. Le tien a subi un tel traumatisme. Il mord sans raison et même si tu me suppliais de le faire, je ne l'intègrerais pas dans ma meute. Si tu décides de le garder, c'est toi qui es fou.

L'honnêteté brutale de l'Étranger vexa Zenkà. Racine, fou ? Non ! C'était lui qui était fou. Racine était le chien le plus gentil qu'on pouvait trouver sur les terres mayas. Et Zenkà l'aimait profondément. Il l'avait sauvé *in extremis* des griffes de la mort, il n'allait pas le replonger dedans. C'était hors de question.

Zenkà revint à la maison et comme si Racine avait voulu rassurer son maître et faire mentir l'Étranger, il adopta un comportement exemplaire et ne fit preuve d'aucun signe d'agressivité dans les jours qui suivirent. Cela renforça l'idée que Zenkà s'était faite de l'Étranger : un homme qui croyait bien connaître les chiens, mais dont les conseils étaient farfelus et inappropriés.

Mais l'accident se produisit bientôt. Alors que Xipac s'amusait avec Racine, il fut sauvagement attaqué. Le chien, après l'avoir mordu, lui déchiqueta les membres. Les plaies s'infectèrent, la fièvre devint incontrôlable et le garçon mourut quelques jours plus tard dans d'atroces douleurs. Le médecin n'avait rien pu faire pour le sauver. Au départ, il lui avait donné une ou deux journées à vivre; Xipac avait survécu plus de deux semaines!

L'horrible bain de sang dont avaient été témoin quelques voisins avait marqué bien des esprits. Une psychose s'empara du village. On retrouva plusieurs chiens au comportement inoffensif battus à mort par des villageois. Pour éviter d'autres massacres, le chef du village demanda que tous les chiens soient attachés et permit à ses guerriers de tuer tous ceux qui erraient.

Les parents de Zenkà furent très éprouvés. Sa mère réagit fortement à l'absence de son plus jeune fils, elle avait perdu le goût de vivre. Pendant des semaines elle fut incapable de s'occuper de la maison. Avec le temps, elle retrouva un peu d'entrain, mais jamais plus elle ne fut la femme enjouée qu'elle avait été.

Pour Zenkà, ce fut encore plus pénible. Les villageois ne se gênaient pas pour le pointer du doigt quand il marchait dans la rue. Il était le garçon dont le frère avait été tué par un chien : *son* chien. Même si on ne portait pas d'accusation contre lui, plusieurs soutenaient qu'il était indirectement responsable de la mort de son frère cadet. Et son propre père lui jetait des regards lourds de sous-entendus.

Zenkà dut se résoudre à tuer Racine. Ce fut une expérience éprouvante, mais qui n'atténua en rien la culpabilité qu'il ressentait. Ce sentiment ne le quitta jamais et le rongea de l'intérieur. Il se croyait directement responsable de la mort de son frère et bien qu'il s'efforçât de le nier, la partie honnête en lui, celle qu'on ne peut tromper avec des subterfuges, prit le dessus. Au cours des mois qui suivirent la mort de Xipac, il passa plus de nuits les yeux grands ouverts et tenu réveillé par les remords que de nuits de sommeil. Et quand il parvenait à fermer les yeux et à s'assoupir, les cauchemars venaient achever de l'épuiser.

D'autres moments insupportables avivaient sa détresse lorsque l'Étranger aux chiens venait faire ses emplettes au village.

Il craignait que l'homme ne parle de la visite qu'il lui avait faite et des conseils qu'il n'avait pas suivis.

Un jour que Zenkà était occupé à réparer la hutte avec son père, son cousin vint l'avertir que l'Étranger aux chiens le cherchait. Le cœur de Zenkà cessa de battre. Il suivit toutefois les indications de son cousin et vit que l'Étranger l'attendait à l'entrée du marché public. Sans lui dire un mot, l'homme lui tendit un sac dans lequel se trouvait un chiot.

- À ta place, j'aurais fait la même chose, lui glissa-t-il ensuite à l'oreille. Le passé reste le passé. On ne peut rien y changer.

L'Étranger siffla ses chiens et repartit, laissant Zenkà abasourdi. Il n'avait pas l'intention de garder le chien, mais lorsqu'il constata que ses parents ne s'opposaient pas à sa venue, il changea d'avis. Ce fut une bonne décision, sa culpabilité diminua et avec le temps, l'accident devint un mauvais souvenir qu'il ne ressassait qu'à l'occasion.

Cependant, les cauchemars continuaient de l'assaillir. Affronter seul une armée de cent guerriers ne l'aurait pas terrorisé davantage que les images de son frère mourant.

Zenkà, après avoir ressassé tous ces souvenirs douloureux, referma les yeux. Il tenta de reprendre le contrôle de son rêve, mais cela ne fonctionna pas : Xipac était devant lui et lui demandait pourquoi il avait refusé de suivre les conseils de l'Étranger.

Zenkà rassembla toutes ses forces et poussa un hurlement. Puis il se leva et se mit à courir. Il courut jusqu'à ce que ses poumons le fassent souffrir comme s'ils étaient faits de braise.

Il s'arrêta pour reprendre son souffle. Autour de lui, ce n'était qu'une succession de couloirs au revêtement terreux et humide formant un vrai labyrinthe. Aucun moyen de se situer. Alors qu'il se demandait s'il était condamné à errer dans cet endroit et à fuir son frère, il fut interrompu dans ses pensées par une voix caverneuse.

- Je croyais que tu allais être content de revoir ton petit frère.

La voix était celle de Tuumax, le dieu des Cauchemars. Et elle lui parlait dans sa tête.

•
....

Pendant ce temps, loin, très loin du
monde maya, Tuzumab, le père de Pakkal,
parcourait Chak Ek', sa « nouvelle demeure ». C'est du moins ainsi que Chikop
lui avait présenté l'endroit qu'il lui faisait
découvrir. Le nain Chikop, celui qui possédait le bulbutik, liquide qui allait permettre
à la graine de faire croître instantanément
l'Arbre cosmique, l'avait entraîné là, soit-
disant pour le sauver.

Chak Ek' était une sorte de vaste désert
plat au sable rouge. Aucun temple n'y était
érigé, aucune verdure ne venait adoucir son
aridité, aucun animal ne semblait l'habiter.
Seuls des Illuminés, tous nimbés d'un halo
lumineux, passaient sans s'occuper d'eux.
Chikop estimait à une centaine le nombre
d'habitants.

- Vous êtes en sécurité ici, dit-il. C'est
une véritable oasis de bonheur. Le Monde
inférieur ne peut nous atteindre et nous ne
nuisons à personne. Ah Puch ne peut vous
utiliser comme informateur.

Tuzumab   le savait, le seul intérêt de Chak Ek' était la chute où coulait ce fameux liquide qu'on appelle le bulbutik. C'était la pièce manquante du puzzle. À présent qu'il possédait la graine, il ne lui manquait que cette potion magique.

- Je dois retourner dans le Monde intermédiaire, fit Tuzumab.

Chikop parut étonné.

- Et pourquoi donc ?

Tuzumab lui montra la graine que Iwan lui avait donnée.

- C'est le prochain Arbre cosmique.

- Et alors ?

- Vous êtes un Illuminé, vous devez savoir ce qu'il advient de lui ?

Chikop ferma les paupières et quelques instants plus tard, il résuma ce qu'il avait pu voir :

- Il a été grandement affecté par les rayons délétères du Soleil bleu. Il allait s'effondrer, mais un des bacabs l'a redressé. Il soutient le milieu du ciel, quoique de façon temporaire. Lorsqu'il s'effondrera, ce sera la fin de la Quatrième création. C'est une question de temps.

Il rouvrit les yeux et regarda Tuzumab :

- Voilà une bonne raison pour ne pas retourner là-bas. Ce monde est condamné.

Tuzumab haussa le ton, vexé par l'indifférence de son vis-à-vis :

- Et c'est tout l'effet que ça vous fait ?

- Oui. Chaque création doit arriver à son terme un jour.

- Et si je pouvais empêcher sa fin ?

Tuzumab se retenait pour ne pas exploser de colère. Après tous les efforts que son fils et les membres de l'Armée des dons avaient fournis pour contrecarrer les plans de Xibalbà, une telle indifférence était inexcusable.

Chikop avait perçu l'irritation dans la voix de Tuzumab. Son instinct pacifique prit le dessus ; il tenta de préciser son point de vue.

- Pourquoi voulez-vous retourner là-bas ? À présent que vous possédez la Connaissance, la vie dans le Monde intermédiaire ne peut plus rien vous apporter, mis à part des tracas. Nous, Illuminés, sommes les Mayas ultimes. Nous sommes des dieux, mais sans les lourdes responsabilités qui sont les leurs. Nous avons tous un point en commun, celui d'avoir souffert dans le Monde intermédiaire. Je ne vous parle pas de blessures physiques, mais de celles, encore plus pernicieuses, qui nous rongent de l'intérieur sans jamais nous tuer. Je doute que vous soyez une exception.

Là-bas, en raison de sa différence, Tuzumab avait effectivement été malmené. Il comprit que c'était aussi le cas de Chikop.

- Vous savez ce qu'on fait avec les petites personnes, n'est-ce pas ? J'ai eu de la chance, je suis devenu conseiller d'un roi, représentant symbolique de Xibalbà. Les petites personnes comme moi sont ordinairement trimballées de cité en cité, dans une cage, pour être vues par le plus de gens possibles. On se moque d'elles et les gens qui sont le moindrement sympathiques à leur cause sont ridiculisés. Souvent, les parents se débarrassent de gens comme moi pour une pièce de jade. Une seule !

Tuzumab se rappela le jour de son mariage avec dame Zac-Kuk. Cela se passait à une époque plus heureuse; son beau-père, le grand Ohl Mat, avait payé une troupe de cirque pour les divertir. Il se rappelait avoir vu une femme dont le visage était couvert de poils, un homme avec deux bras qui lui sortaient de la poitrine et un petit Maya jonglant avec des œufs de perroquet et qui en avait cassé un, par mégarde, sur la tête du roi. Tous avaient retenu leur souffle jusqu'à ce que Ohl Mat éclate de rire. En regardant toute cette mascarade, Tuzumab se rappelait s'être demandé comment les personnes qui en faisaient partie pouvaient sourire malgré les conditions épouvantables dans lesquelles elles se trouvaient. Les priver de nourriture ou les battre devaient faire partie de la réponse.

Avant que des scribes n'établissent que son fils, venu au monde avec six orteils à chaque pied allait un jour devenir prince de Palenque, il avait entendu dire que celui-ci, en raison de son infirmité, pourrait bien finir ses jours dans un cirque. Tuzumab et son épouse n'y avaient jamais cru.

Tuzumab ignorait si Chikop avait connu des expériences aussi traumatisantes, mais il était clair que les manières dont on traitait ses congénères le blessaient. Il poursuivit :

- Ici, je suis considéré à ma juste valeur. J'ai accepté de retourner une fois dans le Monde intermédiaire pour faire le pont avec Chak Ek', c'est le seul compromis que j'ai accepté.

Tout en parlant, les deux hommes étaient parvenus à la chute. Tuzumab s'arrêta et observa le bulbutik qui se déversait dans un lit de pierres formé naturellement par des siècles d'érosion. Le liquide était opaque et seuls les reflets du soleil permettaient de constater son mouvement. Il songea à son nouvel état d'Illuminé et aux effets que le bulbutik avaient produits sur lui. Mais une pensée le turlupinait :

- Un instant... Vous m'avez dit que Ah Puch pouvait savoir où vous étiez dans le Monde intermédiaire, n'est-ce pas ?

- Oui, et je suppose que votre prochaine question sera de me demander pourquoi il ne savait pas que j'étais dans la caverne où vous m'avez trouvé.

- Effectivement.

- Il le savait, il n'y a qu'à cet endroit où nous sommes en ce moment où il ne peut nous atteindre. Tant que je n'étais pas une menace pour lui, il n'avait aucun intérêt à me pourchasser. Jusqu'à ce que vous me trouviez.

Tuzumab avança la main et la fit pénétrer dans la chute. Le contact avec le bulbutik lui fit l'effet d'un vent chaud. Lorsqu'il retira la main, il constata qu'elle était sèche.

- Réfléchissez, ajouta Chikop. Si vous retournez dans le Monde intermédiaire pour y semer la graine et l'arroser de bulbutik, Ah Puch le saura.

Le nain leva la tête pour le regarder dans le blanc des yeux :

- Vous savez bien qu'il ne vous laissera aucune chance. La Quatrième création est condamnée à disparaître, peu importe que vous interveniez ou non.

•
==

La situation de Zenkà avait encore empiré, non seulement il était l'esclave de Tuumax, mais celui-ci lui donnait des ordres en s'adressant directement à son esprit. S'il ne lui obéissait pas, ce qu'il avait eu le malheur de faire une fois, il serait sévèrement puni. Zenkà était damné.

Après sa rencontre traumatisante avec l'incarnation de son frère, qui n'était qu'une projection de ses cauchemars, c'est du moins ce qu'il avait compris par la suite, Tuumax lui avait ordonné de suivre ses directives. Zenkà, ne réalisant pas encore l'ampleur de son impuissance, avait refusé net, prêt à se battre pour ne pas se laisser manipuler. Mal lui en avait pris : Tuumax lui avait infligé une correction si douloureuse qu'il avait eu l'impression que son cerveau était en train de brûler, comme une pièce de viande posée au-dessus d'un feu déchaîné.

Dès qu'il s'était opposé à Tuumax, c'était comme si on lui avait fait entrer dans le crâne des dizaines de lames d'obsidienne chauffées à blanc. Épuisé par la souffrance, il était tombé sur le sol, croyant qu'il allait défaillir. Hélas, il n'eut pas la possibilité de perdre connaissance ; la torture dura un temps qui lui sembla une éternité.

Il lui fallut des jours pour reprendre ses esprits. Lorsqu'il se remit sur ses jambes, Tuumax lui ordonna de marcher jusqu'au terrain de jeu. Zenkà allait enfin comprendre ce que cette expression signifiait.

Après avoir emprunté une suite de corridors identiques et avoir subi les sarcasmes de ce maître de la manipulation, Zenkà s'arrêta devant un mur qui semblait pareil aux autres. Mais en y regardant de plus près, il constata qu'une forme rectangulaire s'en détachait, qui pouvait passer pour une porte.

- Il y a une poignée. Tourne-la.

Zenkà la chercha, mais ne la trouva pas.

- Idiot ! Elle est devant toi !

Être traité comme un moins que rien sans pouvoir répliquer n'était pas dans les habitudes du guerrier de Kutilon. Mais que pouvait-il faire ? Il était coincé. Il avala donc les insultes sans rien dire et réprima sa colère.

Il y avait effectivement une « poignée », si on pouvait appeler ainsi ce caillou qui pointait.

- Tourne-la, je n'ai pas que ça à faire !

Zenkà referma sa main sur le caillou et le fit tourner à droite.

- La porte, sombre crétin ! Tu crois qu'elle va s'ouvrir toute seule ?

Avec son pied, Zenkà repoussa ce qui ne ressemblait pas à une porte. Ce qui s'offrait à ses yeux le sidéra. Dans sa tête, la voix de Tuumax explosa :

- Bienvenue dans ma salle de jeu !

C'était un lieu dont le seul mur visible était celui qui intégrait la porte. S'il y avait un plafond, il était si haut que des yeux de Mayas ne parvenaient pas à le voir. Devant Zenkà, une multitude de gens s'animaient dans des situations aussi invraisemblables les unes que les autres. Toutes ces créatures avaient un point en commun : elles étaient horribles.

Ici, un homme dont le bas du corps était celui d'une femme transformée en tronc d'arbre tentait d'empêcher un être aux bras musclés de le couper en deux à l'aide de ses mains tranchantes comme des lames d'obsidienne. Là, une fillette de huit ou neuf ans courait en criant, poursuivie par un jaguar dont le corps était recouvert de peau humaine. Là-bas, un vieil homme tremblait au milieu d'une forêt d'arbres immenses sur les branches desquelles étaient perchés des hiboux aux yeux proéminents aussi grands que leur tête.

À la droite de Zenkà, une femme accouchait d'une créature mi-homme, mi-tapir, qui se mit aussitôt à dévorer les pieds de celle qui l'avait mise au monde.

Des centaines, voire des milliers de scènes comme celles-là se déroulaient autour de Zenkà. Elles avaient leur propre éclairage, leur propre décor et elles disparaissaient aussi subitement qu'elle apparaissaient. Elles n'avaient aucun sens et pourtant, les victimes de ces drames ne semblaient pas jouer la comédie. Zenkà comprit que c'était dans cet endroit que Tuumax créait les cauchemars.

Zenkà se dit qu'il n'y avait probablement qu'une seule personne qui s'amusait sur ce terrain de jeu et c'était Boox.

- Tu vas m'obéir au doigt et à l'œil, maintenant, l'entendit-il dire. Tu es ma marionnette. Avance !

Zenkà obéit, il avança droit devant lui. Il s'arrêta devant une rivière où une homme semblait sur le point de se noyer.

- Avance !

Zenkà marcha sur l'eau et lorsqu'il se trouva au-dessus de l'homme, Tuumax lui ordonna d'arrêter.

- Tends-lui la main.

Zenkà obtempéra. L'homme parut soulagé et s'empara vivement de la main secourable du guerrier de Kutilon. Un claquement se fit entendre et Zenkà ressentit une vive douleur : il vit avec stupeur que sa main venait de se détacher de son bras et ne put que constater que l'homme était retombé dans l'eau et qu'il allait se noyer. Tuumax s'esclaffa.

- Un classique ! Je ne sais plus combien de fois j'ai fait cette blague, mais elle m'amuse toujours. Tu as vu sa réaction quand il s'est rendu compte qu'il avait arraché ta main ? Tu as vu ? J'espère qu'il va se dire en se réveillant qu'il ferait mieux de perdre du poids !

Comme une bulle ou un ballon qui heurte un objet pointu, le rêve éclata et disparut.

Zenkà leva son bras mutilé. Il avait mal.

- Ne t'inquiète pas, si tu l'arroses chaque jour, il va repousser !

Tuumax ricana de nouveau, seul à apprécier ses sinistres blagues.

- Quand tu seras en très piteux état, je m'arrangerai pour que tu retrouves tes membres. Pour l'instant, je ne connais rien de mieux que des blessures à vif pour effrayer ces pauvres Mayas. Le sang leur fait toujours beaucoup d'effet, même après toutes ces années.

Zenkà se retrouva soudain dans une hutte dont la structure était constituée d'os humains. Ici et là, sur une table, une étagère ou une poterie, il aperçut des crânes d'animaux dont la chair pourrissait lentement. Leur odeur était insupportable. À la droite de Zenkà apparut une jeune fille d'une quinzaine d'années dont les cheveux étaient si longs qu'ils traînaient sur le sol.

- Je ne sais pas comment elle s'appelle, dit Tuumax, mais elle est allée faire un tour dans la forêt hier avec son petit frère et elle est tombée sur des carcasses d'animaux en état de putréfaction avancée. Pour ne pas effrayer son frérot, elle a fait comme si de rien n'était, mais elle a été dégoûtée. On va lui rappeler ce mauvais souvenir, d'accord ? Zenkà se braqua.

- Non, fit-il. Je refuse de lui faire peur.

- Zenkà... Je croyais que tu avais eu ta leçon.

- C'est injuste, pourquoi l'effrayer ? Je ne veux pas...

Tuumax n'eut pas besoin de lui en dire davantage.

Zenkà se raidit, le corps foudroyé par des serpents de douleur qui zigzaguaient dans sa tête.

Malgré ce que Chikop lui avait dit, Tuzumab n'en démordait pas : il lui fallait semer la graine et l'arroser de bulbutik. Qu'importait si la fin de la Quatrième création était inexorable, il désirait tout tenter pour conjurer ce mauvais sort. Il n'avait jamais rien accompli de remarquable dans son existence; c'était le temps où jamais. S'il réussissait, ce geste allait donner un sens à sa vie, en plus d'aider son très cher fils dans sa mission.

- Les Illuminés peuvent-ils prédire l'avenir? demanda-t-il au nain.

- Non, nous ne prédisons pas l'avenir. Mais avec toutes les connaissances que nous possédons, nous pouvons faire des déductions. Et celle-là est à la portée de tous.

- Pour moi, il ne fait pas de doute que si je parviens à battre de vitesse Ah Puch, plus rien ne pourra empêcher la survie de la Quatrième création.

Chikop ricana.

- Battre Ah Puch de vitesse? Peut-être lui, qui doit marcher aussi rapidement qu'un escargot, je vous l'accorde. Mais son armée de chauveyas? Et ses dieux malveillants? Ne soyez pas naïf, mon cher Tuzumab. Ils vous écraseront comme un vulgaire moustique.

Les propos de Chikop étaient brutaux, mais pas dénués de sens. Tuzumab l'admettait, ses chances de réussite étaient minces.

Chikop poursuivit :

- Je ne suis pas de votre avis, vous le savez. Toutefois, en votre qualité d'Illuminé, vous avez la sagesse de peser le pour et le contre. Je ne vous empêcherai pas de retourner dans le Monde intermédiaire si vous y tenez, ni moi ni aucun habitant de ces lieux. Il n'y a pas de chef ici. Si vous échouez, votre mort ne sera pas la conséquence de votre ignorance, elle sera due à votre volonté. Et personne ne pourra vous reprocher d'avoir voulu sauver le Monde intermédiaire. Des gens y sont heureux et de grandes choses y sont réalisées tous les jours.

Tandis que Tuzumab réfléchissait à une solution, Chikop lui remit une gourde :

- Remplissez-la de bulbutik. Si vous décidez d'y retourner, ce sera fait.

Tuzumab retira le bouchon, enfonça la gourde dans la chute et la laissa se remplir.

- Merci, dit-il. Il est rare de rencontrer des gens qui savent faire la part des choses tout en laissant les autres libres d'agir à leur guise.

Une fois remplie, la gourde ne pesait pas plus lourd que lorsqu'elle était vide.

- C'est ce que la Connaissance apporte, fit Chikop. Je n'ai pas besoin de vous imposer mes valeurs et mes opinions parce que je les sais vraies, totalement dénuées de mensonge et d'hypocrisie.

Tuzumab était hésitant. Il était clair dans son esprit qu'il allait retourner dans le Monde intermédiaire et tenter l'impossible pour faire renaître l'Arbre cosmique. Mais il n'était pas stupide. S'il avait pu savoir d'avance que tous ses efforts seraient anéantis quoi qu'il fasse, il resterait sur Chak Ek'. Il devait pourtant y avoir un moyen.

Chikop et Tuzumab retournèrent au camp, là où les Illuminés se regroupaient.

Chikop, parce qu'il regrettait d'avoir été aussi abrupt avec Tuzumab, lui dit:

- Les Illuminés sont solidaires. Je vous assure que si j'entrevoyais un moyen de sauver le Monde intermédiaire, je vous le révélerais, je vous aiderais. Mais sincèrement...

Tuzumab l'interrompit :

- J'apprécie votre sympathie et votre sens de la déduction. Mais il se produit parfois des événements qui défient toute logique.

-Vous avez raison, dit Chikop. Sauf que ces événements sont rares.

- Rares, mais pas impossibles. Si je désire retourner dans le Monde intermédiaire, puis-je choisir l'accès que je veux ?

- Non. Vous devez utiliser un des passages qui ont été conçus à cet effet. Il y en a présentement plus d'une vingtaine.

- Et savez-vous lequel est le plus proche de l'Arbre cosmique ?

- Ils sont tous à la même distance. L'Arbre cosmique est au centre.

Tuzumab décida de laisser son esprit vagabonder, le temps qu'une solution se présente. Il se mêla à d'autres Illuminés et participa à des discussions passionnantes pour répondre à des questions variées ; par exemple, comment empêcher le mortier des temples de s'effriter, comment arroser les cultures de maïs en temps de sécheresse ou comment prévoir les éclipses du Soleil à l'aide du calendrier. Des sujets dont il n'avait jamais entendu parler avant de les aborder. La Connaissance apportait à Tuzumab une grande satisfaction, suffisamment pour qu'il oublie pendant un moment que dans le Monde intermédiaire, un nouvel Arbre cosmique était attendu et qu'il était le seul à détenir les ingrédients capables de le faire vivre et grandir.

Il présenta son problème à quelques Illuminés. À l'instar de Chikop, plusieurs se disaient indifférents à l'éventualité d'une disparition de la Quatrième création. Ils avaient souffert au cours de leur périple dans le Monde intermédiaire et n'en gardaient que de mauvais souvenirs. Mais malgré leurs réserves, ils firent preuve d'ouverture et tentèrent d'aider le père de Pakkal à résoudre ce problème.

L'un des Illuminés lui dit :

- Dès que vous pénétrerez dans le Monde intermédiaire, vous serez mis au courant de tout. Il en sera de même pour Ah Puch, qui déploiera tous ses efforts et ceux de ses effectifs pour contrer vos projets. Avez-vous songé à la manière dont vous allez vous rendre à l'Arbre cosmique ? À pied ?

Non, il ne pouvait pas marcher, cela prendrait des jours ! Alors que faire ? Une idée commença à germer dans son esprit. Il demanda à son vis-à-vis :

- En buvant du bulbutik, un non-Illuminé a-t-il la possibilité de renverser le sort qu'il a subi ?

- Vous voulez savoir si une personne peut revenir à la vie ?

Tuzumab hocha la tête.

- Oui. Mais pour cela, il lui faudrait une grande quantité de bulbutik. Si la personne a été momifiée, il faudrait que son corps en entier puisse s'imprégner du liquide. Cette opération pourrait lui rendre sa forme originelle. Le problème, c'est qu'il n'y a pas suffisamment de bulbutik dans le Monde intermédiaire pour cette opération.

Tuzumab venait de trouver la solution à son problème. Il désigna la chute de bulbutik qui s'écoulait non loin de là.

- Dans le Monde intermédiaire, non. Mais ici, il y en a bien amplement.

∴

Ainsi en allait-il de l'existence de Zenkà : le guerrier en était désormais réduit à effrayer des Mayas durant leur sommeil en prenant part à leurs cauchemars. Tuumax inventait le contexte, puis il trouvait dans les pensées de tous ces gens leurs points faibles et s'efforçait de les perturber dans ce qu'ils avaient de plus vulnérable. Zenkà détestait ce rôle qu'on lui imposait, qu'il jugeait dégoûtant et méprisable. Il aurait préféré rassurer ses victimes au lieu de leur faire peur.

Zenkà était plus sollicité lorsque la nuit tombait. Le jour, durant la sieste, il s'en prenait surtout à des vieillards ou à des enfants. C'était ce qu'il détestait le plus, car Tuumax se montrait alors encore plus cruel.

Quand tous les membres de Zenkà avaient volé en éclat, parfois arrachés et sanguignolents, et qu'il devait ramper comme un serpent, Tuumax lui rendait son corps d'antan pour ensuite le malmener durement. Combien de temps durèrent ces périodes de supplice ? Zenkà n'aurait su le dire. Mais elles se poursuivirent suffisamment longtemps pour que le dieu des Cauchemars s'en lasse, se montrant de moins en moins vigilant à mesure que le temps passait et que les scénarios se répétaient.

Zenkà, constatant qu'il n'était plus le jouet de Tuumax, se fit de moins en moins convaincant. Parce que la moitié de son visage avait été arrachée par un ours et que sa cage thoracique ayant servi de festin à des centaines de fourmis rouges était à nu, sa seule présence rendait les rêves horribles; il n'avait pas besoin de se montrer cruel. Cependant, parce que Tuumax l'avait peu à peu oublié, il allait devoir accepter le corps qu'il avait, ce qui était loin d'être un avantage s'il désirait se faire des amis.

Une nuit, Zenkà fit la rencontre de la plus belle des jeunes femmes. Elle devait avoir une vingtaine d'années, des yeux rieurs, un sourire désarmant, et ses cheveux noirs et lustrés lui retombaient sur les épaules. Zenkà en tomba immédiatement amoureux et parvint, chaque nuit ou presque, à la retrouver.

Hélas, dès qu'il cherchait à s'en approcher, elle hurlait de terreur, réaction on ne peut plus normale devant son corps mutilé qui n'avait plus rien d'un guerrier. Zenkà constata que la jeune femme était aux prises avec un cauchemar récurrent : elle marchait sur une plage recouverte de serpents à sonnette qui rampaient vers elle. Pas quelques-uns, des centaines ! Et la malheureuse devait s'avancer dans cette mer de reptiles !

Le guerrier de Kutilon amorça une campagne de séduction. Il entreprit de chasser les serpents dès qu'ils se présentaient. Ce n'était pas une sinécure, mais après quelques cauchemars, la femme devina qu'il lui voulait du bien.

Pendant un de ces rêves où il avait été particulièrement efficace, elle s'approcha de lui et le remercia. Lors des rêves qui suivirent, après avoir éprouvé une courte frayeur, dès qu'elle voyait Zenkà s'approcher, elle ne se souciait plus des serpents, sachant qu'il serait là pour la défendre contre eux. Ils firent plus ample connaissance.

Chanpaal, qui signifie « bébé », était la seule enfant que sa mère avait réussi à mener à terme. Elle avait la phobie des serpents à sonnette parce que, plus jeune, elle avait été mordue, puis avait été prise d'une forte fièvre et avait frôlé la mort. Elle vivait encore avec ses deux parents et était une tisseuse accomplie.

Pour la première fois de son existence, Chanpaal goûtait à l'ivresse de l'amour. C'était une très jolie femme que plusieurs hommes avaient approchée, mais aucun n'avait fait battre son cœur autant que Zenkà, bien qu'il ressemblât à un mort-vivant. Ses parents s'inquiétèrent bientôt de la voir se coucher tôt et se réveiller bien après que Kinich Ahau eut envahi le ciel. Sans compter qu'elle s'était mise à faire des siestes l'après-midi. Pourtant, elle rayonnait de bonheur et son travail n'avait jamais été aussi bien fait. Chanpaal était devenue un mystère pour ses parents.

Un jour, elle se confia à une cousine qui était aussi sa meilleure amie et lui apprit qu'elle était amoureuse, ce qui expliquait ses étranges agissements. Sa cousine l'embrassa et sauta de joie.

- Avec qui? Qui est l'heureux élu? demanda-t-elle.

Chanpaal lui fit signe de se taire, c'était un secret.

- Il s'appelle Zenkà. Il vient de Kutilon.

- Kutilon ? Je ne connais pas. Quand est-il venu dans la cité ?

- Jamais.

- Jamais ?

Chanpaal ferma les yeux.

- Il est dans mes rêves.

Sa cousine la regarda avec consternation ; elle déchanta aussi rapidement qu'elle s'était réjouie. Même si Chanpaal lui avait fait promettre de garder le secret, elle répandit la nouvelle, qui se propagea rapidement. Et Chanpaal fut mise à l'écart. On se mit à rire dans son dos et à dire qu'elle était devenue folle.

Zenkà lui apprit à contrôler ses rêves. Elle découvrit qu'il était possible de ne plus les subir, mais d'en jouir pleinement. Dans ses rêves, tout devint possible. Sa première réussite fut de redonner à Zenkà sa belle apparence. Elle fut estomaquée par sa beauté. Puis ils firent de nombreux voyages, se baignèrent dans les plus ravissantes cascades et volèrent main dans la main, même s'ils n'avaient pas d'ailes. Toutefois, le retour à la réalité était de plus en plus pénible : chaque fois que Chanpaal se réveillait, Zenkà n'était pas à ses côtés. C'était frustrant.

Un matin, sa mère, s'impatientant de voir sa fille encore au lit à cette heure tardive, entra dans sa chambre, bien décidée à lui reprocher sa paresse. Elle constata que son hamac était vide et que plusieurs de ses vêtements n'y étaient plus. Chanpaal était partie sans la prévenir.

Zenkà, désirant autant qu'elle vivre son amour dans le Monde intermédiaire, lui avait parlé du Portail des rêves, ce lieu mythique où les rêves pouvaient se concrétiser. Mais où était donc ce lieu magique ? Tout ce que Zenkà savait, c'était que ce monument se situait sur une île au confluent de deux rivières.

Chanpaal, résolue à transformer son rêve en une belle histoire d'amour, entreprit de trouver le Portail des rêves. Après bien des recherches infructueuses, des détours et de faux espoirs, après avoir marché des dizaines de kilomètres et avoir bravé le mauvais temps, après une multitude de questions posées aux personnes qu'elle croisait sur son chemin, aidée de Zenkà qui venait la réconforter dans son sommeil, Chanpaal parvint à trouver l'île. Elle se rendit au Portail et après l'avoir débarrassé des lianes qui l'entouraient, elle s'allongea dessous sur un lit de feuilles. Puis elle ferma les yeux en murmurant :

- Je te reverrai très bientôt, mon amour.

Les derniers souvenirs de Yaloum étaient confus. En compagnie de Tuzumab, elle avait pénétré dans cette caverne où on leur avait dit qu'ils pourraient trouver le bulbutik. Dans la caverne se trouvaient de grandes statues de Mayas momifiés. Le nabot du nom de Chikop lui avait ensuite offert un verre de ka-ka-wa chaud, une boisson sucrée qu'elle avait trouvée succulente, hormis l'arrière-goût amer qui lui était resté dans la bouche.

Tandis qu'elle écoutait la conversation entre Chikop et Tuzumab, elle avait perdu le fil. Leurs paroles étaient tout à coup devenues incompréhensibles. Quelques instants plus tard, elle avait été plongée dans un grand vide ténébreux.

Combien de temps y était-elle restée? Elle aurait été incapable de le dire. Mais lorsqu'elle en sortit, elle était toujours dans la caverne, allongée sur le sol. Plusieurs statues avaient été brisées et il n'y avait plus de traces ni de Chikop ni de Tuzumab. Elle comprit qu'elle venait d'émerger d'un long sommeil.

Un bruit attira son attention, venant de l'entrée de la caverne. De violents rayons lumineux l'aveuglèrent; il lui fallut du temps pour que ses yeux s'y habituent. Puis elle distingua les contours d'un grand animal qui s'approchait. En aucun temps elle ne céda à la panique, il s'agissait de sa sauterelle géante. Heureuse, elle se mit debout pour aller à sa rencontre. Son corps était recouvert de terre humide, comme si on y avait appliqué un masque de boue.

Elle frotta le museau de sa sauterelle.

- Tu sais ce qui s'est passé, toi? Moi, j'avoue que je ne comprends plus rien.

Sur la table, elle remarqua un morceau d'écorce de figuier sur lequel étaient inscrits des glyphes. À côté, une gourde et une graine.

Même si Yaloum n'était pas scribe, elle pouvait déchiffrer les glyphes. Elle lut à haute voix :

« Yaloum, ce message s'adresse à toi. Voici la graine et le bulbutik. Tu es désormais responsable de la renaissance de l'Arbre cosmique. Le temps presse, agis dès maintenant.

Ton ami, Tuzumab »

En apercevant les serpents à sonnette ramper en ondulant dans sa direction, Chanpaal eut un moment d'inquiétude. Puis elle se dit que Zenkà était probablement tout près. Et effectivement, il apparut.

- Tu y es ? demanda-t-il.

- Oui, j'ai fini par le trouver.

Il s'approcha d'elle et l'embrassa.

Elle ouvrit aussitôt les yeux, vit qu'elle était allongée sous le Portail et que le visage du guerrier de Kutilon était penché sur elle.

- Ne t'inquiète pas, j'ai fait du ménage avant que tu ne te réveilles. Il n'y a plus un seul serpent à sonnette à l'horizon. Et je te jure sur la tête de mon grand-père que je n'en laisserai plus jamais un seul s'approcher de toi.

Avant de quitter les lieux, Zenkà prit soin de détruire le Portail. Avec son amoureuse, il prit la route de Palenque pour aller retrouver Pakkal et les membres de l'Armée des dons.

Ils s'arrêtèrent dans un village dont le nom leur était inconnu. Les villageois les invitèrent à se sustenter et à se reposer, ce que Zenkà et Chanpaal acceptèrent avec gratitude.

Puis ils aperçurent un scribe occupé à graver un calendrier sur de la pierre. Afin de se souvenir de ce jour béni où il retrouvait l'amour de sa vie, Zenkà lui demanda :

- Mon bon ami, pourriez-vous m'indiquer la date, je vous prie ?

C'est avec plaisir que le scribe s'exécuta :

- 8 Chicchan 13 Pop.

Zenkà, interloqué, lui demanda de répéter. Le scribe s'exécuta.

Chanpaal crut que son amoureux allait tourner de l'œil.

- Ça ne va pas? Assieds-toi. Que se passe-t-il?

Zenkà avala sa salive avec difficulté. Il s'empara d'une branche et fit quelques traits dans la poussière du sol. Puis il encercla le dernier chiffre inscrit, gardant fixement les yeux dessus.

- Que se passe-t-il? demanda Chanpaal.

Zenkà, calmement, répondit :

- La dernière fois que j'ai vu Pakkal, c'était il y a deux cent soixante et un ans.

Personne ne pourrait atteindre le corps de Pakkal, Ah Puch avait fait le nécessaire. Inconscient, le prince reposait dans une prison aux allures de temple construit expressément pour lui. De cette façon, il ne représentait aucune menace.

Boox, le chef des Gouverneurs, avait été chargé de monter la garde. Au moindre faux pas, Cama Zotz s'occuperait de l'exécuter en bonne et due forme. Toutefois, Boox entretenait le désir de libérer les *sak nik nahal* prisonniers du prince aux douze orteils afin de créer la Cinquième création. La Quatrième création était d'ailleurs sur le point de prendre fin. Ah Puch était parti le matin même, en tête d'une puissante armée, en direction de l'Arbre cosmique où il irait achever de détruire ce qu'il en restait.

Dès qu'il vit passer les derniers soldats de l'armée de Ah Puch, Boox tenta de pénétrer dans la cellule de Pakkal. Mais il s'arrêta devant la porte, intrigué. La serrure laissa Boox songeur. Elle avait la forme d'un pied, un pied à six orteils.

À suivre dans :

Pakkal XII - Le fils du Bouclier

Dans la même série :

Autres titres du même auteur :

CIRCUS GALACTICUS
Al3xi4 et la planète de cuivre
Éditions Marée Haute, 2007

• • •

LE BLOGUE DE NAMASTÉ - tome 1
La naissance de la Réglisse rouge
En collaboration avec Marie-Eve Larivière,
Éditions Marée Haute, 2008

LE BLOGUE DE NAMASTÉ - tome 2
Comme deux poissons dans l'eau
En collaboration avec Marie-Eve Larivière,
Éditions Marée Haute, 2008

LE BLOGUE DE NAMASTÉ - tome 3
Le mystère du t-shirt
En collaboration avec Marie-Eve Larivière,
Éditions Marée Haute, 2009

Phobies-Zéro Jeunesse

Maxime Roussy est porte-parole de **PHOBIES-ZÉRO volet jeunesse**. Il s'est donné comme mission, entre autres, de démystifier les troubles d'anxiété chez les jeunes en leur racontant avec humour ses expériences liées à son trouble panique avec agoraphobie.

Tu n'es pas seul. Plusieurs personnes se sentent comme toi. La bonne nouvelle, c'est que nous pouvons t'aider!

Pour savoir par où commencer, visite le
www.phobies-zero.qc.ca/voletjeunesse

ou communique avec nous au :
514 276-3105 / 1 866 922-0002

JOINS-TOI À

L'ARMÉE DES DONS

Quels avantages y a-t-il à faire partie de l'Armée des dons ?

Entre autres, tu reçois, en primeur, des nouvelles exclusives au sujet de ton héros préféré; tu peux participer à des concours qui te permettront de courir la chance de remporter des prix *cool*; tu posséderas l'épinglette exclusive réservée aux membres de l'Armée des dons.

Ça t'intéresse ?

Pour devenir membre officiel de l'Armée des dons, c'est GRATUIT, tu n'as qu'à visiter le site Web.

www.armeedesdons.com

Achevé d'imprimer au Canada par

Marquis imprimeur inc.

Québec, Canada
2009